Developing Chinese

第二版
2nd Edition

Elementary Listening Course
初级听力
(II)

Scripts and Answers
文本与答案

张风格　编著

北京语言大学出版社
BEIJING LANGUAGE AND CULTURE
UNIVERSITY PRESS

目录 Contents

你学了多长时间汉语了
How Long Have You Been Studying Chinese

第二部分　练习
Part Two　Exercises

1-4 一、听句子，听后判断 A 和 B 哪个与你听到的句子意思相同

Choose A or B according to what you hear.

1. 我学了两年汉语了。（ B ）
   A. 我打算学两年汉语。
   B. 我已经学两年汉语了。
2. 这个星期三以前交照片。（ B ）
   A. 交照片的时间是这个星期三。
   B. 最晚这个星期三交照片。
3. 我们说了两三分钟。（ A ）
   A. 我们说了两分钟到三分钟。
   B. 我们说了二三十分钟。
4. 现在差五分五点。（ B ）
   A. 现在五点五分。
   B. 现在四点五十五分。

二、听对话，听后做练习

Listen to the conversations and do the exercises according to what you hear.

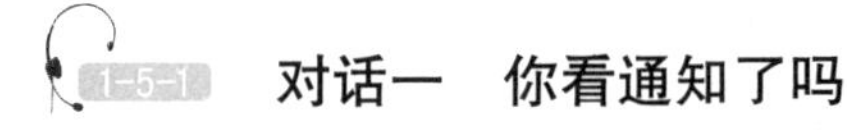

对话一　你看通知了吗

男：你看通知了吗？

女：没有。什么通知啊？

男：留学生办公室说，每个人要交两张照片。

女：为什么交照片呢？

男：学校要给我们初级班的学生办理学生证和借书卡。

女：什么时候交啊？

男：这个星期五以前。

女：多长时间能办好呢？

男：大概四五天吧。

（一）根据对话内容，选择正确答案 ***Choose the correct answer according to the conversation.***

1. 女的看了留学生办公室的通知了吗？（ B ）

   A. 看了　　B. 没看

2. 每个人要交几张照片？（ A ）

   A. 两张　　B. 三张

3. 学生证和借书卡多长时间能办好？（ B ）

   A. 三四天　　B. 四五天

（二）根据对话内容填空 ***Fill in the blanks according to the conversation.***

1. 你看留学生办公室的（通知）了吗？
2. 每个人要交（两张）照片。
3. 这个星期五（以前）交照片。
4. 大概（四五）天能办好。

1-5-2 对话二　你有什么事儿

男：你好！

女：您好！

男：你有什么事儿？

女：我想延长学习时间。

男：你是哪国人？

女：韩国人。

男：你打算延长多长时间？

女：一年。

男：请填一张表格。

女：好。

男：这儿填你的姓名和国籍，这儿填你的护照号码。

女：好。

（一）根据对话内容，选择正确答案 ***Choose the correct answer according to the conversation.***

1. 女的是哪国人？（ B ）

   A. 美国人　　B. 韩国人

2. 女的打算延长多长时间？（ B ）

   A. 半年　　B. 一年

3. 在表格上填写什么？（ B ）

   A. 姓名和国籍　　B. 姓名、国籍和护照号玛

（二）根据对话内容填空 ***Fill in the blanks according to the conversation.***

1. 你有（什么）事儿？
2. 我想延长学习（时间）。
3. 你是（哪）国人？
4. 请填一（张）表格。

三、听短文，听后做练习 *Listen to the texts and do the exercises according to what you hear.*

1-6-1 短文一 你学了多长时间汉语了

寒假以后，我们初级二班又来了两三个新同学。今天上课以前，我跟一个新来的同学聊天儿，我问他叫什么名字，是哪国人，他说他是韩国人，叫什么名字我没听清楚。我又问他来中国以前在韩国学了多长时间汉语了，打算在中国学习多长时间，他说来中国以前，在韩国学了两三年了，打算在中国学习两年。他也问我叫什么名字，是哪国人，学了多长时间汉语了，习惯不习惯这里的生活，等等。我说我叫爱玛，是德国人，来中国以前学了七八个月，来中国以后又学了两年。刚来的时候对这儿的天气不太习惯，特别是夏天，太热了。

（一）根据短文内容，选择正确答案 ***Choose the correct answer according to the text.***

1. 寒假以后，哪个班又来了两三个新同学？（ A ）

   A. 初级二班　　B. 初级三班

2. 那个韩国同学来中国以前学了多长时间汉语了？（ B ）

   A. 一两年　　B. 两三年

3. “我”已经在中国学了多长时间汉语了？（ B ）

   A. 七八个月　　B. 两年

（二）根据短文内容，判断正误

Decide if the following statements are true or false according to the text.

1. 上课以后，“我”跟一个新来的同学聊天儿。（ × ）
2. 那个韩国人叫什么名字“我”不知道。（ √ ）
3. 那个韩国同学说他打算在中国学习两年。（ √ ）
4. “我”来中国以前学了七八个月汉语了。（ √ ）
5. 刚来的时候“我”不太习惯这里的冬天，太冷了。（ × ）

1-6-2 短文二 她想再延长半年

今天下午，我和我们班的马克和爱玛在图书馆看书，不到四点的时候，爱玛说她有事儿想先走，还说，五点请我们俩在学校里边的咖啡厅喝咖啡。爱玛走了以后，我和马克继续看书，到了差五分五点的时候，我们离开了图书馆，来到了咖啡厅，爱玛已经在门口等我们了。我们每人要了一杯咖啡，我们问爱玛有什么事儿，为什么那么早离开图书馆。她说，留学生办公室通知她今天下午四点去他们那里填一张表格。为什么呢？因为她想延长学习时间。她原来的计划是在中国学习两年，现在她想再延长半年。我们问她从什么时候开始延长，她说从暑假以后。

（一）根据短文内容，选择正确答案 *Choose the correct answer according to the text.*

1. 今天谁先离开了图书馆？（ B ）

   A. 马克　　B. 爱玛

2. “我们”什么时候离开的图书馆？（ B ）

   A. 差五分四点　　B. 差五分五点

3. 爱玛打算延长多长学习时间？（ A ）

   A. 半年　　B. 一年

（二）根据短文内容，判断正误

Decide if the following statements are true or false according to the text.

1. 每天下午，“我”和“我们”班的马克和爱玛都在图书馆看书。（ × ）
2. 爱玛说五点请“我们”在学校里边的咖啡厅喝咖啡。（ √ ）
3. 留学生办公室通知爱玛今天下午四点半去他们那里填一张表格。（ × ）
4. 爱玛打算在中国学习三年汉语。（ × ）
5. 爱玛打算从寒假以后开始延长半年的学习时间。（ × ）

（三）根据短文内容连线 *Do the matching exercise according to the text.*

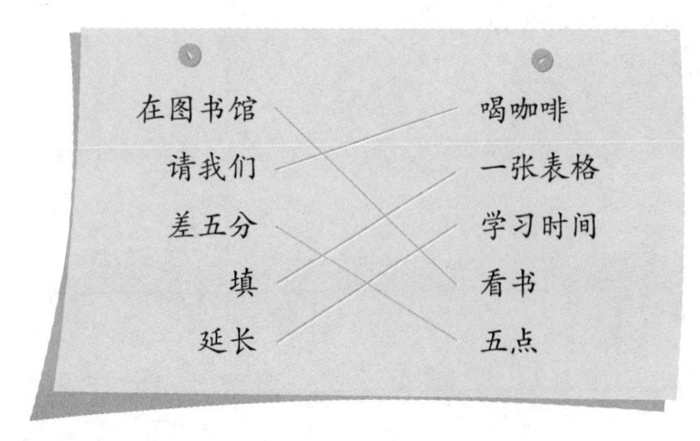

请问，留学生宿舍怎么走

Excuse me, How Can I Get to the International Students' Dormitory

第二部分　练习
Part Two　Exercises

一、听句子，听后判断 A 和 B 哪个与你听到的句子意思相同

Choose A or B according to what you hear.

1. 这儿离大华电影院不远。（ A ）
   A. 从这儿到大华电影院很近。
   B. 从这儿到大华电影院太远。
2. 留学生宿舍怎么走？（ A ）
   A. 怎么去留学生宿舍？
   B. 留学生宿舍怎么样？
3. 过了操场就是图书馆。（ B ）
   A. 图书馆离操场很远。
   B. 图书馆就在操场旁边。
4. 我的朋友来电话了。（ B ）
   A. 我给我的朋友打电话了。
   B. 我的朋友给我打电话了。

二、听对话，听后做练习　*Listen to the conversations and do the exercises according to what you hear.*

对话一　您应该往回走

男：请问，前边是南边吗？
女：你去哪儿啊？
男：花园小区。
女：应该往回走。
男：从这儿到花园小区还有多远？
女：不远了。你最好坐公共汽车，就两站。
男：坐几路呢？
女：5 路。
男：5 路汽车站在哪儿？
女：你跟我一起走吧，我也坐 5 路。
男：太好了！
女：你的汉语说得真流利，发音也不错。
男：谢谢。

（一）根据对话内容，选择正确答案 ***Choose the correct answer according to the conversation.***

1. 花园小区在南边还是北边？（ B ）

   A. 南边　　　　B. 北边

2. 去花园小区应该坐几路公共汽车？（ A ）

   A. 5 路　　　　B. 15 路

3. 女的认为男的汉语说得怎么样？（ A ）

   A. 很流利，发音也不错　　　　B. 不流利，但发音不错

（二）根据对话内容填空 ***Fill in the blanks according to the conversation.***

1. 请问，前边是（南边）吗？
2. 你去（哪儿）啊？
3. 应该往（回）走。
4. 你跟我（一起）走吧，我也坐 5 路汽车。

2-5-2 对话二　过了书店就是

女：请问，去大华电影院怎么走？

男：哪个电影院？

女：大华电影院。

男：从这儿一直往东走，走到第二个路口往右拐。

女：对不起，您再说一遍好吗？

男：从这儿一直往东走，走到第二个路口往右拐。

女：不过马路，是吗？

男：对，不过马路。

女：大华电影院离那个路口还远吗？

男：不远了，走大约两三百米你就能看见一个书店，过了书店就是。

（一）根据对话内容，选择正确答案 ***Choose the correct answer according to the conversation.***

1. 去大华电影院从这儿往哪边走？（ A ）

   A. 东　　　　B. 西

2. 走到第二个路口往哪边拐？（ B ）

   A. 左　　　　B. 右

3. 大华电影院离书店有多远？（ B ）

   A. 大约两三百米　　　　B. 就在它旁边

（二）根据对话内容填空 ***Fill in the blanks according to the conversation.***

1. 请问，去大华电影院（怎么）走？
2. 从这儿一直（往）东走，走到第二个路口往右拐。
3. 不（过）马路，是吗？
4. 过了书店（就是）。

三、听短文，听后做练习 ***Listen to the texts and do the exercises according to what you hear.***

2-6-1 短文一　请问，留学生宿舍怎么走

今天下午，我去看一个日本朋友，他住在他们大学里边的留学生宿舍。

我从他们大学西门进去以后，一直往东走，走到操场那儿问一个学生："请问，留学生宿舍怎么走？"那个学生说："你从这儿往前走，走到教学3号楼以后往南拐，走三四百米就到了。"我问："从这儿到那座教学楼还有多远？"那个学生说："不远了，你看见前边那个图书馆了吧？过了图书馆就是。"

当我走到图书馆的时候，我的朋友来电话了，问我走到哪儿了，我说走到图书馆了，他说离他住的地方不远了，很快就到了。

（一）根据短文内容，选择正确答案 ***Choose the correct answer according to the text.***

1. "我"的日本朋友住在哪儿？（ A ）

   A. 学校里边的宿舍　　B. 学校外边的宿舍

2. 留学生宿舍在教学3号楼的哪边？（ B ）

   A. 北边　　B. 南边

3. 教学3号楼离留学生宿舍还有多远？（ A ）

   A. 三四百米　　B. 五六百米

（二）根据短文内容，判断正误 ***Decide if the following statements are true or false according to the text.***

1. 今天上午，"我"去看一个日本朋友。（ × ）
2. "我"从他们大学西门进去以后，一直往东走。（ √ ）
3. "我"走到操场那儿问了一个学生。（ √ ）
4. 那个学生告诉"我"，走到教学3号楼以后往南拐，走三四百米就到了。（ √ ）
5. 当"我"走到教学3号楼的时候，"我"的朋友来电话了。（ × ）

2-6-2 短文二 你应该到马路对面坐车

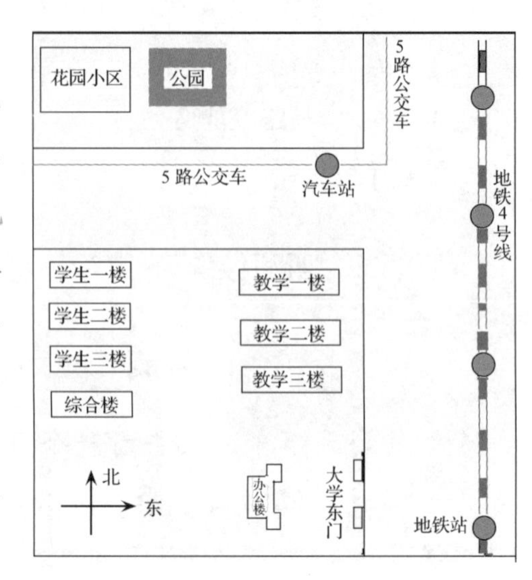

上个周末，一个中国朋友请我去他家玩儿，他告诉了我他家的地址，还告诉了我怎么走。他家住在花园小区15号楼，离我们学校不远。怎么走呢？从我们学校东门出去，在马路对面坐地铁4号线，向北坐三站。从地铁站出来再换5路公共汽车，向西坐两站，下车以后往北走，有一个小公园。我问他，他家住的那个小区离这个小公园还有多远，他说就在那个小公园旁边。

那天，我下了地铁，很快就找到了5路汽车站。上了车，我问坐在我旁边的一个人："请问，前边是不是西边？"那个人回答："你应该到马路对面坐车。"

（一）根据短文内容，选择正确答案 *Choose the correct answer according to the text.*

1. 从"我们"学校到"我"的中国朋友家远吗？（ A ）

   A. 不远　　B. 很远

2. 中国朋友告诉了"我"他家的地址，还告诉了"我"什么？（ A ）

   A. 怎么走　　B. 电话号码

3. "我"找到中国朋友的家了吗？（ B ）

   A. 找到了　　B. 不知道

（二）根据短文内容，判断正误 *Decide if the following statements are true or false according to the text.*

1. 中国朋友的家住在花园小区5号楼。（ × ）
2. 从学校西门出去，在马路对面坐地铁4号线。（ × ）
3. 从地铁站出来再换5路公共汽车，向西坐两站。（ √ ）
4. 花园小区在小公园的里边。（ × ）
5. "我"坐公共汽车坐错了方向。（ √ ）

（三）根据短文内容连线 *Do the matching exercise according to the text.*

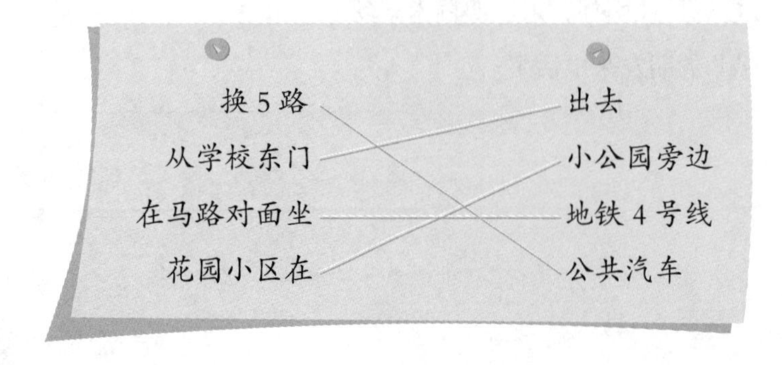

3 我很想家
I Miss My Home So Much

第二部分 练习
Part Two Exercises

3-4 一、听句子，听后判断 A 和 B 哪个与你听到的句子意思相同
Choose A or B according to what you hear.

1. 他是哪个班的？（ B ）
   A. 他是那个班的。
   B. 他在哪个班学习？
2. 除了他以外，谁我都不认识。（ A ）
   A. 我只认识他，不认识别人。
   B. 我不认识他，别的人都认识。
3. 除了那个人以外，别的人我都认识。（ A ）
   A. 我不认识他，别的人都认识。
   B. 我只认识他，不认识别人。
4. 一到了周末我就觉得很没意思。（ B ）
   A. 这个周末我觉得很没意思。
   B. 每个周末我都觉得没意思。

二、听对话，听后做练习
Listen to the conversations and do the exercises according to what you hear.

3-5-1 对话一 他是咱们班的

男：你认识的同学多吗？

女：除了新来的同学，别的班的我都认识。你呢？

男：除了咱们班同学以外，别的班的我都不认识。

女：刚才跟你打网球的那个人是谁呀？

男：是咱们班的，你不认识吗？

女：是不是新来的呀？

男：对。他是俄罗斯的，叫马林。

（一）根据对话内容，选择正确答案 *Choose the correct answer according to the conversation.*

1. 男的和女的是一个班的吗？（ A ）
   A. 是　　B. 不是
2. 女的认识别的班的同学吗？（ A ）
   A. 认识　　B. 不认识

3. 男的认识哪些同学？（ A ）

A. 他们班的　　B. 别的班的

（二）根据对话内容填空 ***Fill in the blanks according to the conversation.***

1. 除了新来的同学，别的班的我都（ 认识 ）。
2. 除了咱们班同学以外，（ 别的 ）班的我都不认识。
3. （ 刚才 ）跟你打网球的那个人是谁呀？
4. 他是俄罗斯的，（ 叫 ）马林。

3-5-2 对话二　我一到周末就觉得很寂寞

女：我一到周末就觉得很寂寞。

男：我也是。

女：来，到我的房间一起喝茶吧。

男：好啊。

女：听说你毕业大学以后想马上回国？

男：你应该说"大学毕业以后"。

女：对不起，我经常用错"毕业"这个词。

男：以前我打算毕业以后马上回国，后来又改变了主意。

女：你的意思是你现在不想回国了，是吗？

男：是的。

（一）根据对话内容，选择正确答案 ***Choose the correct answer according to the conversation.***

1. 女的什么时候觉得很寂寞？（ B ）

A. 这个周末　　B. 每个周末

2. 男的一到周末也觉得很寂寞吗？（ A ）

A. 是　　B. 不是

3. 女的说错了哪个词？（ A ）

A. 毕业　　B. 以后

（二）根据对话内容填空 ***Fill in the blanks according to the conversation.***

1. 我（ 一 ）到周末就觉得很寂寞。
2. 听说你毕业大学以后想马上（ 回国 ）？
3. 我经常用错"（ 毕业 ）"这个词。
4. （ 后来 ）我又改变了主意。

三、听短文，听后做练习 *Listen to the texts and do the exercises according to what you hear.*

3-6-1 短文一 我觉得生活很有意思

我是俄罗斯人，高中毕业以后来到中国上大学，现在是经济专业三年级的学生。中国朋友常常问我：你一个人在中国学习，想不想家。我说，刚来的时候很想家，因为那时候除了我们班的同学以外，别的班的同学我都不认识。所以一到周末就觉得很寂寞。后来，我爸爸来中国出差，我跟他见了一次面，以后就不太想家了。另外，现在我认识的朋友很多，有俄罗斯的、韩国的、日本的、德国的、中国的，等等，我们经常一起聊天儿，一起出去玩儿，觉得生活很有意思。

（一）根据短文内容，选择正确答案 *Choose the correct answer according to the text.*

1.“我”是哪国人？（ B ）

A. 中国　　B. 俄罗斯

2.“我”刚来的时候想家吗？（ A ）

A. 很想家　　B. 不想家

3.“我”现在觉得怎么样？（ B ）

A. 很寂寞　　B. 生活很有意思

（二）根据短文内容，判断正误 *Decide if the following statements are true or false according to the text.*

1.“我”是俄罗斯人，高中毕业以后来到中国上大学。（ √ ）

2.“我”现在是汉语专业二年级的学生。（ × ）

3.“我”刚来的时候，只认识“我们”班的同学。（ √ ）

4.“我”爸爸来中国出差，“我”跟他见了一次面，以后就不太想家了。（ √ ）

5. 现在“我”认识的朋友很多，但是没有中国的。（ × ）

3-6-2 短文二 我很想家

我们班的学生除了韩国的、美国的，还有日本的和俄罗斯的。大家的年龄都很小，有的还是第一次离开家来到中国，所以很想家。今天下课休息的时候，很多同学一起聊天儿，可是韩国同学朴成哲却一个人坐在椅子上看照片。一个俄罗斯同学跟他开玩笑：“朴成哲，想女朋友了吧？来，跟我们一起聊天儿吧。”“我看的照片不是女朋友的，是我和爸爸妈妈一起照的。”朴成哲说。一个美国同学问朴成哲：“你是不是想家了？”“是的，我很想家。”朴成哲回答。美国同学听了以后幽默地说：“来，跟我们大家一起照张相吧！以后你看到这张照片就不想家了。”

（一）根据短文内容，选择正确答案 ***Choose the correct answer according to the text.***

1. “我们”班同学的年龄怎么样？（ A ）

   A. 都很小　　　　B. 都很大

2. 朴成哲一个人坐在那里看谁的照片？（ B ）

   A. 女朋友的照片　　　　B. 他和爸爸妈妈的照片

3. 为什么美国同学让朴成哲跟大家一起照相？（ A ）

   A. 希望他别想家　　　　B. 大家都喜欢他

（二）根据短文内容，判断正误 ***Decide if the following statements are true or false according to the text.***

1. “我们”班同学只有日本的和俄罗斯的。（ × ）
2. “我们”班同学都是第一次离开家。（ × ）
3. 今天下课休息的时候，很多同学一起聊天儿。（ √ ）
4. 俄罗斯同学跟朴成哲开了个玩笑。（ √ ）
5. 美国同学说话很幽默。（ √ ）

（三）根据短文内容连线 ***Do the matching exercise according to the text.***

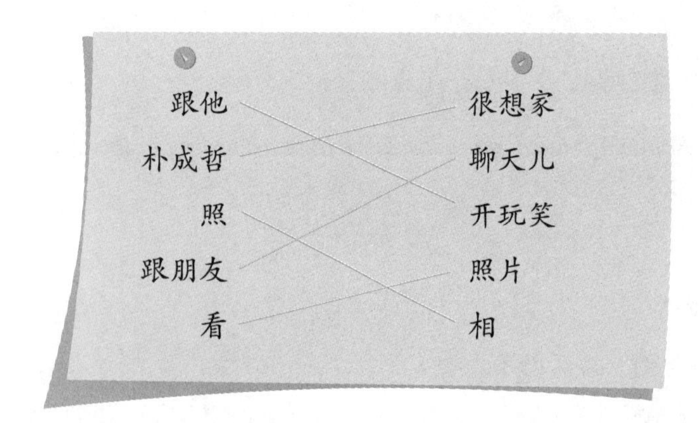

你是什么时候来的
When Did You Come Here

第二部分 练习
Part Two Exercises

4-4 一、听句子，听后判断 A 和 B 哪个与你听到的句子意思相同
Choose A or B according to what you hear.

1. 她陪她先生去中国了。（ A ）
   A. 她和她先生都在中国。
   B. 她先生在中国，她没去。
2. 他们是上午来的。（ A ）
   A. 他们上午来过。
   B. 他们上午要来。
3. 我们家离这儿挺远的。（ A ）
   A. 从我们家到这儿很远。
   B. 这儿离我们家不远。
4. 他是一个人去北京的。（ A ）
   A. 他自己去了北京。
   B. 他想一个人去北京。

二、听对话，听后做练习
Listen to the conversations and do the exercises according to what you hear.

对话一 最近我去了一趟中国

女：最近我去了一趟中国。
男：你一个人去的吗？
女：不是，是陪我先生去的。
男：你们是怎么去的？
女：当然是坐飞机了。
男：从法国坐飞机到中国多长时间啊？
女：十几个小时。
男：你们去哪儿玩儿了？
女：北京。
男：参观长城了吗？
女：当然。

（一）根据对话内容，选择正确答案 *Choose the correct answer according to the conversation.*

1. 最近谁去了一趟中国？（ B ）

A. 男的　　B. 女的和她的先生

2. 从法国到中国坐飞机多长时间？（ A ）

A. 十多个小时　　B. 十个小时

3. 女的和她先生参观长城了吗？（ A ）

A. 参观了　　B. 没参观

（二）根据对话内容填空 *Fill in the blanks according to the conversation.*

1.（最近）我去了一趟中国。

2. 你一个人去（的）吗？

3. 是（陪）我先生去的。

4. 你们是（怎么）去的？

4-5-2 对话二 我们都在贸易公司工作

女：我和我先生都在贸易公司工作。

男：是在一个公司吗？

女：不是。

男：你们一定都是贸易专业毕业的吧？

女：不，我学的是法汉翻译专业。

男：你先生呢？

女：经济专业。

男：你们经常出差吗？

女：经常出差，下个月我又要去中国和韩国了。

男：你挺忙的，那我不跟你聊天儿了。

女：没关系，今天我休息，不上班。

（一）根据对话内容，选择正确答案 *Choose the correct answer according to the conversation.*

1. 女的和她先生在什么公司工作？（ A ）

A. 贸易公司　　B. 翻译公司

2. 女的学的是什么专业？（ B ）

A. 汉英翻译专业　　B. 法汉翻译专业

3. 女的下个月去哪国出差？（ A ）

A. 中国和韩国　　B. 中国和日本

（二）根据对话内容填空 *Fill in the blanks according to the conversation.*

1. 我和我先生都在贸易（公司）工作。
2. 下个月我又要去中国和韩国（出差）了。
3. 你挺忙的，那我不跟你（聊天儿）了。
4. 没关系，今天我（休息），不上班。

三、听短文，听后做练习 *Listen to the texts and do the exercises according to what you hear.*

4-6-1 短文一 我们每天骑自行车上下班

我和我太太都是法国人，也都在北京工作，我在一个法国公司，她在一个中国公司。

在法国的朋友打电话问我，我和我太太每天是怎么上下班的，是自己开车还是坐车。我告诉他们，刚来中国的时候坐出租车，现在骑自行车。他们听了很担心。我告诉他们，别担心，北京的马路有专门的自行车道，挺安全的。现在，我们公司的同事看到我骑自行车上下班，也都买了自行车。今年春天，我们大家一起骑自行车去了一趟长城，虽然很累，但非常有意思。

（一）根据短文内容，选择正确答案 *Choose the correct answer according to the text.*

1. "我"和"我"太太是哪国人？（ A ）
   A. 法国人　　B. 美国人
2. 刚来中国的时候"我们"怎么上下班？（ A ）
   A. 坐出租车　　B. 骑自行车
3. 在北京骑车上下班怎么样？（ B ）
   A. 挺快的　　B. 很安全

（二）根据短文内容，判断正误 *Decide if the following statements are true or false according to the text.*

1. "我"在一个中国公司，"我"太太在一个法国公司。（ × ）
2. 在北京的法国朋友打电话问"我"太太每天是怎么上下班的。（ × ）
3. 法国朋友觉得"我们"骑自行车上下班不安全。（ √ ）
4. 北京的马路有专门的自行车道，挺安全的。（ √ ）
5. 今年春天，公司的同事一起骑自行车去了一趟长城。（ √ ）

4-6-2 短文二 你是什么时候来的

一天，张老师接到了法国学生叶莱娜打来的电话。叶莱娜是他的学生，三年前在他们大学汉语专业毕业，毕业以后回到了法国，在一个贸易公司当汉语翻译。张老师接到叶莱娜的电话非常高兴，希望她有时间来中国玩儿，没想到叶莱娜说，她现在正在中国出差。张老师问叶莱娜是什么时候来的，她说是昨天来的，不过，不是她一个人，是陪她们公司的经理来的。张老师又问叶莱娜什么时候有时间，想跟她见面，一起吃顿饭。叶莱娜说，她的先生也想请张老师吃饭。张老师听了很惊讶，说："什么？你先生也来了吗？""是的，我的经理也是我的先生。"叶莱娜回答。

（一）根据短文内容，选择正确答案 ***Choose the correct answer according to the text.***

1. 张老师接到了法国学生叶莱娜从哪儿打来的电话？（ B ）

   A. 法国　　B. 中国

2. 叶莱娜和张老师是什么时候认识的？（ B ）

   A. 两年以前　　B. 三年以前

3. 最后张老师为什么很惊讶？（ A ）

   A. 叶莱娜的先生也来中国了　　B. 叶莱娜的经理也是自己的学生

（二）根据短文内容，判断正误 ***Decide if the following statements are true or false according to the text.***

1. 叶莱娜在大学学的是汉语专业。（ √ ）
2. 叶莱娜毕业以后回到了法国。（ √ ）
3. 叶莱娜在一个贸易公司当经理。（ × ）
4. 叶莱娜是陪她们公司的经理来中国出差的。（ √ ）
5. 叶莱娜的先生想请张老师吃饭。（ √ ）

（三）根据短文内容连线 ***Do the matching exercise according to the text.***

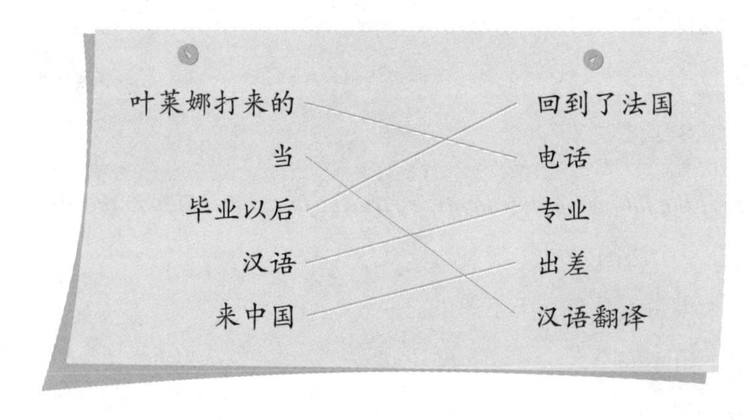

你也听听吧
Please Listen to It, Too

第二部分　练习
Part Two　Exercises

5-4 一、听句子，听后判断 A 和 B 哪个与你听到的句子意思相同
Choose A or B according to what you hear.

1. 这个故事我听了听，不难。（ B ）
   A. 这个故事难不难？我想听听。
   B. 这个故事我听了一下，不难。
2. 他天天练习听录音。（ A ）
   A. 他每天练习听录音。
   B. 他今天练习听录音。
3. 我打算从明天起练习听录音。（ A ）
   A. 我打算从明天开始练习听录音。
   B. 我从昨天开始练习听录音了。
4. 这个录音对他来说太难了。（ A ）
   A. 他要听明白这个录音太难了。
   B. 这个录音只有他听了。

二、听对话，听后做练习 *Listen to the conversations and do the exercises according to what you hear.*

对话一　只有周末去上课

男：你戴着耳机听什么呢？
女：西班牙语。
男：听说你放暑假要去西班牙旅游，是吗？
女：是啊。
男：你什么时候学的西班牙语呀？
女：两年以前。
男：天天学吗？
女：不，只有周末去上课。
男：时间太少了吧？
女：虽然上课不多，不过每次下了课我都听录音，所以听力提高很快。

（一）根据对话内容，选择正确答案 ***Choose the correct answer according to the conversation.***

1. 女的听的是什么录音？（ B ）

A. 法语　　B. 西班牙语

2. 女的什么时候去西班牙旅游？（ A ）

A. 放暑假的时候　　B. 放寒假的时候

3. 女的每周上几次课？（ A ）

A. 一次　　B. 两次

（二）根据对话内容填空 ***Fill in the blanks according to the conversation.***

1. 你什么时候（学）的西班牙语呀？
2. 两年（以前）。
3. 只有周末去（上课）。
4.（虽然）上课不多，不过每次下了课我都听录音。

5-5-2 对话二 我听听好吗

女：这本汉语书我看了，内容挺有意思的。

男：对我来说看汉语书太难了。这书有磁带吗？

女：没有磁带，有 CD，一共两张。

男：我听听好吗？

女：可以。

男：谢谢！对了，这不会是高级的吧？

女：别担心，不是高级的，是中级的。

男：那我就听听吧。

女：好的，给你。

（一）根据对话内容，选择正确答案 ***Choose the correct answer according to the conversation.***

1. 这本书一共有几张 CD？（ A ）

A. 两张　　B. 一张

2. 这本汉语书是什么水平的？（ A ）

A. 中级　　B. 高级

3. 男的最后听 CD 吗？（ A ）

A. 听　　B. 不听

（二）根据对话内容填空 ***Fill in the blanks according to the conversation.***

1. 这本汉语书我看了，内容（挺）有意思的。
2. 对我来说看汉语书太（难）了。
3. 我听听（好吗）？
4. 别（担心），不是高级的，是中级的。

三、听短文，听后做练习 ***Listen to the texts and do the exercises according to what you hear.***

5-6-1 短文一 我正在听录音呢

今天我们上汉语听力课的时候，老师放了一段录音，我听了两遍也没听懂，我打算回家以后再听听。下午，当我正在听CD的时候，弟弟突然从外边进来了，我摘下了耳机，问他有什么事儿，他说爸爸从书店给他买来了一盘MP3，里边有一首歌特别好听，问我想不想听听。我说我正在听录音呢。弟弟看了看我，没说话，关上门走了。他走了以后，我又接着听，但有的句子还是听不懂。这时候弟弟又进来了，说："哥哥，你听一下这首歌好吗？特别好听。"我说："别跟我说话了，有的句子我听不懂！"弟弟说："真的特别好听，你听听吧，一听就能听懂。"

（一）根据短文内容，选择正确答案 ***Choose the correct answer according to the text.***

1. "我"学习什么语言？（ A ）
   A. 汉语　　B. 英语
2. 谁给弟弟买了一盘MP3？（ A ）
   A. 爸爸　　B. 哥哥
3. 弟弟进来干什么？（ B ）
   A. 想跟"我"一起唱歌　　B. 让"我"听一首歌

（二）根据短文内容，判断正误 ***Decide if the following statements are true or false according to the text.***

1. 今天"我们"上英语听力课的时候，老师放了一段录音。（ × ）
2. 老师放的录音"我"听了两遍也没听懂。（ √ ）
3. "我"打算回家以后再听听。（ √ ）
4. 弟弟从书店买来了一盘MP3。（ × ）
5. 下午弟弟到"我"的房间来了两次。（ √ ）

 短文二 你也听听吧

我听了一个外国人学汉语的故事，这个故事不太难，你也听听吧。

一天，罗宾跟他的朋友说，他打算今年放暑假的时候去中国旅游，但他不会说汉语，所以他要从现在起，去一个汉语学校学习半年汉语。罗宾很快找到了一个汉语学校，他天天晚上去那里学习两个小时。半年很快过去了，他的朋友问他汉语会了没有，他说，很简单，学会了。暑假的时候，罗宾按自己的计划去了中国。从中国回来以后，他的朋友问他："你学会了汉语，在中国一定没遇到麻烦吧？"他说："没有。"他的朋友不相信他的话，又问："真的吗？""我真的没遇到麻烦，不过，中国人遇到了麻烦。"

（一）根据短文内容，选择正确答案 *Choose the correct answer according to the text.*

1. "我"听的这个外国故事难不难？（ B ）

   A. 非常难　　B. 不太难

2. 罗宾是什么时候去中国旅游的？（ A ）

   A. 暑假的时候　　B. 寒假的时候

3. 罗宾为什么说中国人遇到了麻烦呢？（ B ）

   A. 中国人不认识他　　B. 他的汉语不好

（二）根据短文内容，判断正误 *Decide if the following statements are true or false according to the text.*

1. 罗宾每天晚上去汉语学校学习两个小时。（ √ ）
2. 罗宾在汉语学校学习了一年。（ × ）
3. 暑假到了，罗宾按自己的计划去了中国。（ √ ）
4. 罗宾的朋友相信他在中国没遇到麻烦。（ × ）
5. 罗宾是个很幽默的人。（ √ ）

（三）根据短文内容连线 *Do the matching exercise according to the text.*

从	相信
不	麻烦
遇到了	很有意思
半年	现在起
这个故事	很快过去了

（连线答案：从—现在起；不—相信；遇到了—麻烦；半年—很快过去了；这个故事—很有意思）

我们大学有好几个学生食堂
There Are Several Students' Canteens in Our University

第二部分　练习
Part Two　Exercises

一、听句子，听后判断 A 和 B 哪个与你听到的句子意思相同
Choose A or B according to what you hear.

1. 她吃了好几个包子。（ B ）
   A. 她吃了一个包子。
   B. 她吃了几个包子。
2. 你想去哪个食堂吃就去哪个。（ A ）
   A. 你想去哪个食堂吃都可以。
   B. 你想去那个食堂吃可以。
3. 你想吃什么就吃什么。（ A ）
   A. 你想吃什么都行。
   B. 你想吃什么，我也想吃什么。
4. 学校里有食堂，你不用担心吃饭问题。（ B ）
   A. 吃饭的时候，你不用担心食堂问题。
   B. 学校里有食堂，吃饭很方便。

二、听对话，听后做练习
Listen to the conversations and do the exercises according to what you hear.

6-5-1　**对话一　你想吃什么就吃什么**

男：我饿了。
女：我们找个饭馆吃饭吧。
男：好。
女：前边有个饭馆，我们去吃自助餐怎么样？
男：好啊。
女：你喜欢吃中餐还是西餐？
男：什么都行，不过，我还是喜欢吃中餐。
女：那里有包子、饺子、炒饭和各种炒菜，你想吃什么就吃什么。走吧！
男：太好了！

（一）根据对话内容，选择正确答案 *Choose the correct answer according to the conversation.*

1. 男的和女的现在在哪儿？（ A ）

A. 街上　　B. 饭馆

2. 谁饿了？（ B ）

A. 女的　　B. 男的

3. 他们准备去吃什么？（ B ）

A. 西餐　　B. 自助餐

（二）根据对话内容填空 *Fill in the blanks according to the conversation.*

1. 我（饿）了。
2. 我们找（个）饭馆吃饭吧。
3. 你喜欢吃中餐（还是）西餐？
4. 那里有包子、饺子、炒饭和各种炒菜，你想吃什么（就）吃什么。

6-5-2 对话二　你知道食堂几点关门吗

男：你是去食堂吃晚饭吗？

女：是啊，我们一起去吧。

男：我的饭卡里没钱了，得先去充值。

女：充值的地方可能关门了，你先用我的饭卡吧，明天再去充值。

男：谢谢。你知道食堂几点关门吗？

女：不知道，我一般都是六点多吃晚饭。

男：现在几点了？

女：差十分七点。

（一）根据对话内容，选择正确答案 *Choose the correct answer according to the conversation.*

1. 他们准备去食堂吃哪顿饭？（ B ）

A. 午饭　　B. 晚饭

2. 男的遇到了什么问题？（ A ）

A. 他的饭卡里没钱了　　B. 他忘了带饭卡了

3. 现在几点了？（ A ）

A. 差十分七点　　B. 七点十分

（二）根据对话内容填空 *Fill in the blanks according to the conversation.*

1. 我的饭卡里没（钱）了，得先去充值。
2. 用我的饭卡吧，明天你（再）去充值。
3. 我（一般）都是六点多吃晚饭。
4. 现在（差）十分七点。

三、听短文，听后做练习 *Listen to the texts and do the exercises according to what you hear.*

6-6-1 短文一 我们大学有好几个学生食堂

我们大学有好几个学生食堂，教学楼旁边有一个，宿舍楼旁边有一个，操场旁边有一个，图书馆旁边也有一个，你想去哪个就去哪个，非常方便。

这些学生食堂大小不一样，最大的有几百个座位，最小的只有几十个座位。为了方便学生吃饭，每个学生食堂开门的时间也不一样，有的早饭时间、午饭时间和晚饭时间开门，有的是白天 12 个小时都开着门，你想什么时候吃饭都可以。

吃饭的时候，每个食堂的学生都很多，但你不用担心排队问题，因为，每个食堂都用饭卡。用饭卡买饭速度很快，从你走进食堂挑选饭菜到刷卡，大概只要十几分钟。

（一）根据短文内容，选择正确答案 *Choose the correct answer according to the text.*

1. "我们" 大学有几个学生食堂？（ B ）

   A. 一个　　B. 好几个

2. 学生食堂大小一样吗？（ B ）

   A. 一样　　B. 不一样

3. 在学生食堂用什么买饭？（ A ）

   A. 饭卡　　B. 钱

（二）根据短文内容，判断正误 *Decide if the following statements are true or false according to the text.*

1. 想去哪个食堂吃饭都可以，非常方便。（ √ ）
2. 最大的食堂有几十个座位。（ × ）
3. 每个学生食堂开门的时间不一样。（ √ ）

4. 有的食堂早饭时间、午饭时间和晚饭时间开门，有的食堂是一天24个小时都开着门。（ × ）
5. 用饭卡买饭速度很快。（ √ ）

6-6-2 短文二 想吃什么就拿什么

苏珊和卡琳都是意大利人，苏珊是学生，卡琳在中国的一个意大利公司工作。今天她们俩一起去了一家饭馆吃饭。苏珊要了一碗面条，卡琳要了一碗炒饭。苏珊用叉子，卡琳用筷子。苏珊问卡琳是什么时候学会用筷子的，卡琳说，她在意大利的时候就学会了，因为那时候她一到周末就去中国饭馆吃饭。卡琳问苏珊她们大学的食堂饭菜怎么样，苏珊说很丰富，每顿饭都有米饭、馒头、包子，还有很多中国菜。苏珊还问卡琳，她不会说汉语，在他们公司的食堂怎么买饭，卡琳说，他们吃的是自助餐，想吃什么就拿什么，不用担心不会说汉语的问题。

（一）根据短文内容，选择正确答案 *Choose the correct answer according to the text.*

1. 苏珊和卡琳是哪国人？（ A ）
   A. 意大利　　B. 德国
2. 谁在中国工作？（ A ）
   A. 卡琳　　B. 苏珊
3. 为什么卡琳说不用担心不会说汉语的问题？（ B ）
   A. 因为她吃的是西餐　　B. 因为她吃的是自助餐

（二）根据短文内容，判断正误 *Decide if the following statements are true or false according to the text.*

1. 今天苏珊和卡琳一起去食堂吃饭。（ × ）
2. 苏珊吃的是炒饭，卡琳吃的是面条。（ × ）
3. 苏珊用叉子，卡琳用筷子。（ √ ）
4. 卡琳在意大利的时候就学会了用筷子。（ √ ）
5. 卡琳认为吃自助餐很方便。（ √ ）

（三）根据短文内容连线 *Do the matching exercise according to the text.*

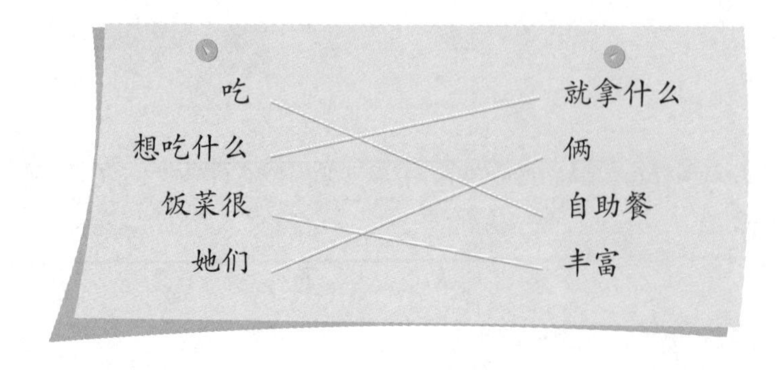

7 你吃过这个菜吗

Have You Tried This Dish

第二部分　练习
Part Two　Exercises

7-4 一、听句子，听后判断 A 和 B 哪个与你听到的句子意思相同
Choose A or B according to what you hear.

1. 我以前吃过这个菜。（ A ）
   A. 以前我吃过这个菜。
   B. 昨天我吃了这个菜。
2. 今天午饭我吃多了，有点儿不太舒服。（ A ）
   A. 今天午饭我吃多了，不太舒服。
   B. 今天午饭我吃饱了，很舒服。
3. 给我一点儿面包。（ B ）
   A. 我要一个面包
   B. 我要一点儿面包。
4. 这些饭有点儿多，给你一点儿。（ A ）
   A. 这些饭多了，给你一点儿。
   B. 这些饭只有一点儿，给你吧。

二、听对话，听后做练习　*Listen to the conversations and do the exercises according to what you hear.*

7-5-1 **对话一　这个菜有点儿咸**

女：你吃过鱼香肉丝吗？
男：吃过。
女：你吃过家里做的鱼香肉丝吗？
男：没吃过。
女：你看这是什么？
男：鱼香肉丝？你做的吗？
女：是啊。你尝尝，看味道怎么样。
男：你递给我一双筷子，我尝一点儿。
女：给，怎么样？
男：不错，只是有点儿咸。

（一）根据对话内容，选择正确答案 ***Choose the correct answer according to the conversation.***

1. 男的吃过鱼香肉丝吗？（ A ）

A. 吃过　　　　B. 没吃过

2. 男的吃过家里做的鱼香肉丝吗？（ B ）

A. 吃过　　　　B. 没吃过

3. 男的认为女的做的鱼香肉丝怎么样？（ A ）

A. 有点儿咸　　　　B. 有儿点甜

（二）根据对话内容填空 ***Fill in the blanks according to the conversation.***

1. 你吃（ 过 ）家里做的鱼香肉丝吗？
2. 你尝尝，看味道（ 怎么样 ）。
3. 你（ 递 ）给我一双筷子，我尝一点儿。
4. 不错，（ 只是 ）有点儿咸。

7-5-2 对话二　欢迎光临

女：欢迎光临！

男：谢谢。

女：您二位请这边坐。这是菜单，请点菜。

男：好的。

女：想来点儿什么？

男：一个麻婆豆腐，一个西红柿炒鸡蛋，再来两碗米饭。

女：还要什么吗？

男：一人一瓶啤酒。

女：好的。

男：请问现在买单还是吃完以后买单？

女：吃完以后买单。

（一）根据对话内容，选择正确答案 ***Choose the correct answer according to the conversation.***

1. 来饭馆吃饭的是几个人？（ B ）

A. 三个　　　　B. 两个

2. 他们要了几个菜？（ A ）

A. 两个　　　　B. 三个

3. 他们要了几瓶啤酒？（ B ）

A. 一瓶　　　　B. 两瓶

（二）根据对话内容填空 *Fill in the blanks according to the conversation.*

1.（欢迎）光临！

2. 您（二位）请这边坐。

3. 这是菜单，请（点菜）。

4. 吃（完）以后买单。

三、听短文，听后做练习 *Listen to the texts and do the exercises according to what you hear.*

7-6-1 短文一 你吃过这个菜吗

中国菜有多少种？每个菜都是怎么做的？味道怎么样？关于这些问题，很多专家都在研究。我不是专家，我只喜欢吃。我来到中国工作以后，每年都去几个地方旅游，吃过很多地方的菜，每个地方的菜味道都不一样。有一年，我去四川旅游，那里的菜味道虽然又辣又麻，但好吃极了。应该说在我吃过的菜里，四川菜是我最喜欢的。特别是“鱼香肉丝”这个菜，它的味道有点儿辣，有点儿麻，有点儿咸，还有点儿甜，我最喜欢，所以每次去饭馆我都点这个菜。你吃过这个菜吗？

（一）根据短文内容，选择正确答案 *Choose the correct answer according to the text.*

1.“我”是研究中国菜的专家吗？（ A ）

A. 不是　　B. 是

2.“我”最喜欢吃哪个地方的菜？（ A ）

A. 四川　　B. 北京

3.“我”最喜欢吃的菜叫什么名字？（ B ）

A. 麻婆豆腐　　B. 鱼香肉丝

（二）根据短文内容，判断正误 *Decide if the following statements are true or false according to the text.*

1.“我”来到中国工作以后，每年都去几个地方旅游。（ √ ）

2. 每个地方的菜味道都不一样。（ √ ）

3. 四川菜又辣又麻，不太好吃。（ × ）

4.“鱼香肉丝”这个菜很辣，很麻，很咸，还很甜。（ × ）

5.“我”一去饭馆就点鱼香肉丝这个菜。（ √ ）

7-6-2 短文二 我只吃一点儿

最近几天，我有点儿不舒服，每顿饭只吃一点儿。我的中国朋友看我吃得很少，就花了两个多小时给我做了我最喜欢吃的饺子。我说：“我只能吃几个。”中国朋友说："是不是饺子不好吃？"我说："不是，很好吃。"中国朋友又说："那你为什么只吃几个呢？"看到中国朋友着急的样子，我只好告诉她我有点儿不舒服。

（一）根据短文内容，选择正确答案 ***Choose the correct answer according to the text.***

1. 最近几天，"我"为什么不想吃饭？（ A ）

A. 不舒服　　B. 不高兴

2. 今天中国朋友给"我"做了什么？（ B ）

A. 米饭　　B. 饺子

3. 今天中国朋友做的饺子好吃吗？（ A ）

A. 好吃　　B. 不好吃

（二）根据短文内容，判断正误 ***Decide if the following statements are true or false according to the text.***

1. 最近几天，"我"每顿饭都吃一点儿。（ √ ）
2. 中国朋友花了三个多小时给"我"做了"我"最喜欢吃的饺子。（ × ）
3. "我"跟中国朋友说，"我"今天只能吃几个饺子。（ √ ）
4. 以前"我"一顿饭能吃 30 多个饺子。（ × ）
5. 中国朋友看到"我"只吃几个饺子，很着急。（ √ ）

（三）根据短文内容连线 ***Do the matching exercise according to the text.***

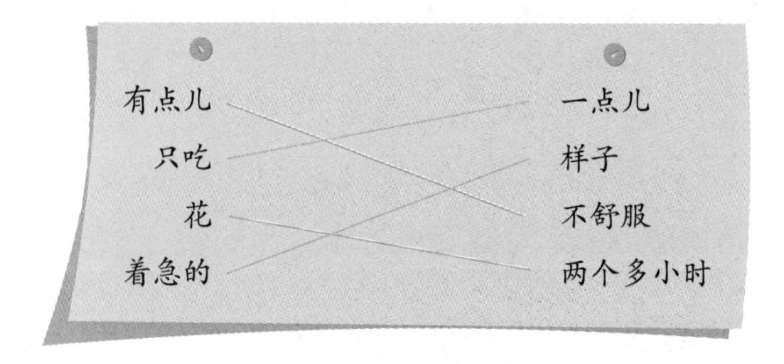

我们还没想好租不租呢
We Haven't Decided Whether to Rent It

第二部分　练习
Part Two　Exercises

8-4 一、听句子，听后判断 A 和 B 哪个与你听到的句子意思相同
Choose A or B according to what you hear.

1. 开车去他们公司一会儿就到了。（ B ）
   A. 他们公司很远。
   B. 他们公司很近。
2. 去他们公司开车一个多小时才能到。（ B ）
   A. 他们公司很近。
   B. 他们公司很远。
3. 我今天 5 点就起床了。（ B ）
   A. 我今天起床很晚。
   B. 我今天起床很早。
4. 租不租我还没想好呢。（ A ）
   A. 租还是不租我还没决定。
   B. 租还是不租，我还没想呢。

二、听对话，听后做练习
Listen to the conversations and do the exercises according to what you hear.

8-5-1 对话一　我又搬家了

女：我又搬家了。
男：这次租的这套公寓怎么样？
女：离我们公司不太远，交通也方便，就是有点儿贵。
男：是几室几厅的？
女："室"和"厅"是什么意思？
男："室"就是卧室，"厅"就是客厅。
女：我租的是"一室一厅"。
男：你为什么不租两室一厅的呢？
女：房租太贵了。

（一）根据对话内容，选择正确答案 ***Choose the correct answer according to the conversation.***

1. 谁又搬家了？（ B ）

   A. 男的　　B. 女的

2. 女的对她租的公寓哪个方面不太满意？（ B ）

   A. 交通　　B. 房租

3. 女的租的是几室一厅的？（ A ）

   A. 一室一厅　　B. 两室一厅

（二）根据对话内容填空 ***Fill in the blanks according to the conversation.***

1. 这次租的这（套）公寓怎么样？
2. （离）我们公司不太远，交通也方便，就是有点儿贵。
3. “室”和“厅”是什么（意思）？
4. “室”就是（卧室），“厅”就是客厅。

8-5-2 对话二　还没决定租不租呢

女：你最近找到合适的公寓了吗？

男：通过中介公司找到了一个。

女：租了吗？

男：跟房东见面了，还没决定租不租呢。

女：为什么呢？

男：如果住那儿，坐车要一个多小时才能到我们公司呢。

女：你不是有汽车吗？

男：自己开车也得半个多小时。

（一）根据对话内容，选择正确答案 ***Choose the correct answer according to the conversation.***

1. 男的通过谁找到了一个公寓？（ A ）

   A. 中介公司　　B. 朋友

2. 他决定租了吗？（ B ）

   A. 决定了　　B. 还没决定呢

3. 男的为什么没有决定租呢？（ A ）

   A. 他觉得离公司太远　　B. 他觉得房租太贵

（二）根据对话内容填空 ***Fill in the blanks according to the conversation.***

1. 你最近找到（合适）的公寓了吗？
2. 跟房东见面了，还没（决定）租不租呢。
3. 如果住那儿（坐车）要一个多小时才能到我们公司呢。
4. 自己（开车）也得半个多小时。

三、听短文，听后做练习 ***Listen to the texts and do the exercises according to what you hear.***

8-6-1 短文一 他们还没想好呢

爱云和她先生通过一家中介公司租了一套两室一厅的公寓，这个公寓的房租很便宜，但离爱云学校和她先生的公司都很远。爱云坐公共汽车要一个多小时才能到学校，她先生开车到公司也得40分钟。他们住了半年以后，决定搬家。于是，他们又来到了这家中介公司，请中介公司帮助再找一套公寓。这家公司很快又帮他们找到了一套。新找的公寓离爱云的学校很近，离她先生的公司也不远，但房租很贵。中介公司的人问他们，是租还是不租呢？爱云说他们还没想好呢。

（一）根据短文内容，选择正确答案 ***Choose the correct answer according to the text.***

1. 爱云和她先生现在住的这套公寓是怎么租的？（ B ）

   A. 通过一个朋友　　B. 通过一家中介公司

2. 爱云和她先生为什么决定搬家？（ A ）

   A. 这套房子太远　　B. 这套房子太贵

3. 爱云和她先生决定租新的公寓了吗？（ B ）

   A. 决定了　　B. 不知道

（二）根据短文内容，判断正误 ***Decide if the following statements are true or false according to the text.***

1. 爱云和她先生通过朋友租了一套两室一厅的公寓。（ × ）
2. 这个公寓的房租很便宜，但离爱云学校和她先生的公司都很远。（ √ ）
3. 他们住了一年以后决定搬家。（ × ）
4. 这家中介公司很快又帮他们找到了一套。（ √ ）
5. 新找的公寓房租很贵。（ √ ）

8-6-2 短文二　河上现在还没有桥

今天中介公司的人来电话，问我租不租那套一室一厅的公寓，我问他那条小河上是不是有桥了。为什么我问这个问题呢？

几天前，我去那个中介公司租公寓，中介公司的一个先生问我是打算租公寓还是出租公寓，我说想租一个公寓。那个先生非常高兴，说最近来他们公司的都是出租公寓的，来租的人很少。那个先生问我想租什么位置的，我说离我们公司不太远、交通比较方便的就可以。他问两室一厅的行不行，我说我一个人住，最好是一室一厅的。他说离我们公司不远的地方正好有一套。我听了很高兴，但那个先生却说："不过，那套公寓在一条小河的对面，河上现在还没有桥。"

（一）根据短文内容，选择正确答案 *Choose the correct answer according to the text.*

1. 今天"我"接到了谁打来的电话？（ A ）

　A. 一家中介公司　　　　B. 一个朋友

2. "我"想租一个什么位置的公寓？（ B ）

　A. 离"我们"大学不远　　　　B. 离"我们"公司不远

3. "我"想租多大的公寓？（ A ）

　A. 一室一厅　　　　B. 两室一厅

（二）根据短文内容，判断正误 *Decide if the following statements are true or false according to the text.*

1. 那位先生听说"我"要租公寓很高兴。（ √ ）
2. 最近来他们公司的都是租公寓的，出租的人很少。（ × ）
3. 有一套一室一厅的公寓离"我们"公司很近。（ √ ）
4. 那套公寓在小河的对面。（ √ ）
5. 河上现在还没有桥。（ √ ）

（三）根据短文内容连线 *Do the matching exercise according to the text.*

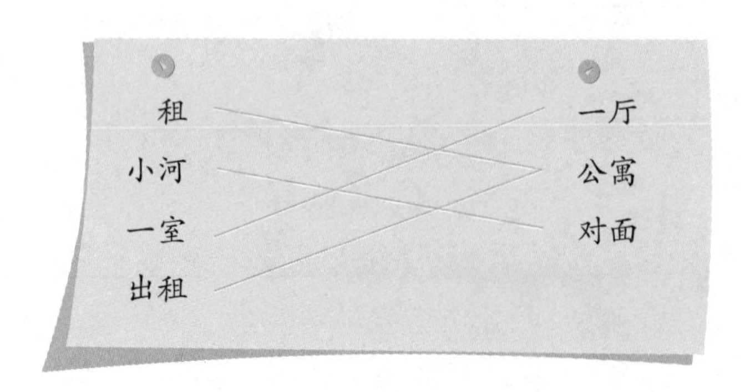

鸡蛋4块一斤
Four *Yuan* for One *Jin* of Eggs

第二部分 练习
Part Two Exercises

9-4 一、听句子，听后判断 A 和 B 哪个与你听到的句子意思相同
Choose A or B according to what you hear.

1. 苹果怎么卖呀？（ B ）
   A. 苹果卖吗？
   B. 苹果多少钱一斤呀？
2. 香蕉和葡萄一样来一斤。（ A ）
   A. 香蕉和葡萄每种买一斤。
   B. 香蕉和葡萄只买一斤。
3. 您这是 100 块，找您 5 块。（ A ）
   A. 您给我 100 块，我给您 5 块。
   B. 我给您 100 块，您给我 5 块。
4. 您的钱正好。（ A ）
   A. 您的钱不多也不少。
   B. 您的钱真好。

二、听对话，听后做练习 *Listen to the conversations and do the exercises according to what you hear.*

9-5-1 对话一 您这苹果怎么卖呀

男：您这苹果怎么卖呀？
女：6 块一斤。
男：是哪儿的呀？
女：山东的。
男：葡萄呢？
女：4 块 8 一斤，是新疆的。
男：一样来两斤。一共多少钱？
女：21 块 6。
男：给您 30 块。
女：找您 8 块 4。

（一）根据对话内容，选择正确答案 ***Choose the correct answer according to the conversation.***

1. 苹果多少钱一斤？（ A ）

A. 6块　　B. 7块

2. 葡萄多少钱一斤？（ B ）

A. 4块5　　B. 4块8

3. 苹果是山东的，葡萄呢？（ A ）

A. 是新疆的　　B. 是四川的

（二）根据对话内容填空 ***Fill in the blanks according to the conversation.***

1. 您这苹果怎么（卖）呀？
2. 苹果是（哪儿）的呀？
3. 一（样）来两斤。
4.（找）您8块4。

9-5-2 对话二 您的钱正好

女：猪肉怎么卖呀？

男：18块一斤。来多少？

女：这块给我称一下儿。

男：3斤。54块。

女：牛肉多少钱一斤？

男：22块。您看这块怎么样？

女：还可以。称称吧。

男：4斤。88块。

女：一共多少钱？

男：54块加上88块，一共是142块。

女：这是142块，给您。

男：您的钱正好。

（一）根据对话内容，选择正确答案 ***Choose the correct answer according to the conversation.***

1. 女的正在买什么？（ B ）

A. 猪肉　　B. 猪肉和牛肉

2. 猪肉多少钱一斤？（ B ）

A. 15块　　B. 18块

3. 女的一共花了多少钱？（ B ）

A. 140块　　B. 142块

（二）根据对话内容填空 ***Fill in the blanks according to the conversation.***

1. 猪肉 18 块一（ 斤 ）。
2. 您看这（ 块 ）怎么样？
3. 54 块加上 88 块，（ 一共 ）是 142 块。
4. 您的钱（ 正好 ）。

三、听短文，听后做练习 *Listen to the texts and do the exercises according to what you hear.*

9-6-1 短文一 你会说吗

我来到中国以后，学会了买东西方面的一些习惯说法，了解这些说法，对学习汉语的外国学生来说是很有帮助的。这里，我举几个例子。比如，买东西问价格的时候，人们常说“多少钱一斤啊”或者“怎么卖呀”，而很少说“多少钱一公斤啊”。再比如，卖东西的人问买东西的人要买什么的时候，常说“您想来点儿什么”，而很少说“您想买点儿什么”。买东西的人如果只买苹果，常说“来点儿苹果吧”，而很少说“买点儿苹果吧”；如果买东西的人想买苹果，也想买香蕉，常说“一样来多少多少斤”，而很少说“每种买多少多少斤”。怎么样？这些习惯说法你会说吗？

（一）根据短文内容，选择正确答案 ***Choose the correct answer according to the text.***

1. “我”来到中国以后，学会了哪方面的习惯说法？（ B ）
   A. 吃的方面　　B. 买东西方面
2. 买东西问价格的时候，中国人常说什么？（ B ）
   A. 多少钱一公斤　　B. 多少钱一斤
3. “一样来多少多少斤”是什么意思？（ A ）
   A. 每种买多少　　B. 一种买多少

（二）根据短文内容，判断正误 ***Decide if the following statements are true or false according to the text.***

1. 了解这些说法，对学习汉语的外国学生来说是很有帮助的。（ √ ）
2. “我”举了几个例子。（ √ ）
3. 卖东西的人问买东西的人要买什么的时候，常说“您想来点儿什么”。（ √ ）
4. 买东西的人如果只买苹果，常说“来点儿苹果吧”。（ √ ）
5. 买东西的人如果想买苹果，也想买香蕉，常说“每种买多少多少斤”。（ × ）

9-6-2 短文二 鸡蛋4块一斤

在我们国家买鸡蛋，一般问多少钱一个，可是在中国不一样，人们习惯问多少钱一斤。

刚来中国的时候，我不知道中国人的这个习惯。有一天，我到一个农贸市场买蔬菜、水果和鸡蛋。我问一个卖鸡蛋的人："请问，鸡蛋怎么卖呀？"我的意思是问多少钱一个。可是卖鸡蛋的人以为我问的是多少钱一斤，所以他回答"4块"。我想，真够贵的。可是鸡蛋我必须买。我给了那个卖鸡蛋的人20块钱，请他给我称5个鸡蛋。他拿了5个鸡蛋，放在秤上称了称说："您这是20块，找您18块。"我说："您为什么找我那么多钱？"他说："4块一斤，5个鸡蛋是半斤，您给我20块，找您18块钱。您看对不对？"我看了看，不多也不少，正好18块。

（一）根据短文内容，选择正确答案 *Choose the correct answer according to the text.*

1. 在"我们"国家的农贸市场买鸡蛋，一般怎么问价格？（ A ）

   A. 多少钱一个　　B. 多少钱一斤

2. 在中国农贸市场买鸡蛋，一般怎么问价格？（ A ）

   A. 多少钱一斤　　B. 多少钱一公斤

3. "我"买了多少鸡蛋？（ A ）

   A. 5个　　B. 5斤

（二）根据短文内容，判断正误 *Decide if the following statements are true or false according to the text.*

1. 刚来中国的时候，"我"不知道中国人买鸡蛋时问价钱的习惯。（ √ ）
2. "我"问卖鸡蛋的人"鸡蛋怎么卖呀"，意思是问多少钱一斤。（ × ）
3. 卖鸡蛋的人以为"我"问的是多少钱一斤。（ √ ）
4. "我"给了卖鸡蛋的人20块钱。（ √ ）
5. 卖鸡蛋的人找给了"我"8块钱。（ × ）

（三）根据短文内容连线 *Do the matching exercise according to the text.*

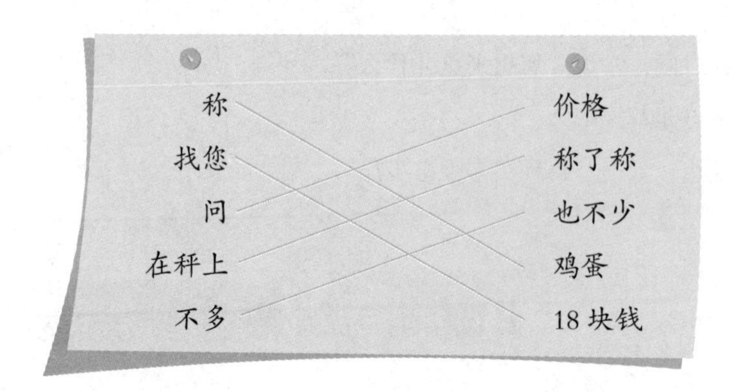

我有一个好主意

I Have a Good Idea

第二部分 练习
Part Two Exercises

10-4 一、听句子，听后判断 A 和 B 哪个与你听到的句子意思相同
Choose A or B according to what you hear.

1. 我上下楼都坐电梯。(A)
   A. 我上楼和下楼都坐电梯。
   B. 我每次上楼都坐电梯。
2. 要是今天迟到了，这个月我就迟到三次了。(B)
   A. 我这个月一共迟到了三次。
   B. 要是今天不迟到，这个月我只迟到两次。
3. 你要是来我这儿，我就不去你那儿了。(B)
   A. 你来到我这儿了，我就不去你那儿了。
   B. 如果你来我这儿，我就不去你那儿了。
4. 今天天气多好啊！（ B ）
   A. 今天天气好吗？
   B. 今天天气太好了！

二、听对话，听后做练习 *Listen to the conversations and do the exercises according to what you hear.*

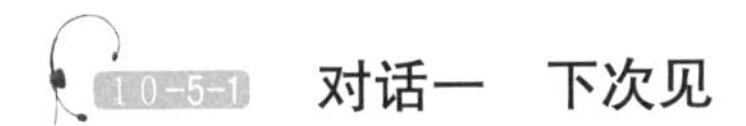

10-5-1 对话一 下次见

女：老孙，早上好！
男：早上好！
女：你到 28 层，是吧？
男：不，我们公司在 38 层。你们公司呢？
女：在 45 层。
男：电梯太挤了。我常想，要是我们公司在十几层，我每天就爬楼梯。
女：我也是这么想，可现在怎么办呢？
男：没有好办法，只好每天坐电梯了。
女：你看，38 层到了。
男：下次见！
女：下次见！

（一）根据对话内容，选择正确答案 *Choose the correct answer according to the conversation.*

1. 这个对话是在哪儿？（ B ）

A. 汽车上　　B. 电梯上

2. 这个对话是在什么时候？（ A ）

A. 早上　　B. 晚上

3. 男的的公司在多少层？（ B ）

A. 28 层　　B. 38 层

（二）根据对话内容填空 *Fill in the blanks according to the conversation.*

1. 老孙，（早上）好！
2. 电梯太（挤）了。
3. 我常想，要是我们公司在十几（层），我每天就爬楼梯。
4. 没有好办法，只好每天坐（电梯）了。

10-5-2 对话二　你今天怎么又迟到了

女：你今天上班怎么又迟到了？
男：对不起。
女：是又睡过头了吗？
男：不是。
女：那是为什么呢？
男：司机开车开得太慢了。
女：你怎么不跟司机说开快点儿呢？
男：说了两次。第一次他说最快速度只能是每小时 60 公里。
女：第二次呢？
男：他说前边有警察。
女：我明白了。

（一）根据对话内容，选择正确答案 *Choose the correct answer according to the conversation.*

1. 男的今天怎么了？（ B ）

A. 上课迟到了　　B. 上班迟到了

2. 男的坐的是什么车？（ A ）

A. 出租车　　B. 公共汽车

3. 男的为什么迟到了？（ B ）

A. 睡过头了　　B. 司机开车太慢

（二）根据对话内容填空 *Fill in the blanks according to the conversation.*

1. 你今天怎么（ 又 ）迟到了？
2. 司机开车开（ 得 ）太慢了。
3. 第一次他说（ 最快 ）速度只能是每小时 60 公里。
4. 他说（ 前边 ）有警察。

三、听短文，听后做练习 *Listen to the texts and do the exercises according to what you hear.*

10-6-1 短文一 怎么办呢

罗卫平他们公司在一座三十层大楼的第二十九层，他每天上下班都得坐电梯。虽然这座大楼有好几个电梯，但是，上下班的时候，每个电梯都很挤。

今天早上，他到办公大楼一层的时候，已经差十分钟九点了，他想，要是今天迟到了，他这个月就迟到三次了。怎么办呢？他跑到一个排队最短的电梯门口，站在了最后边。几分钟以后，电梯下来了，但他没挤上去，电梯门就关上了。他又等了三四分钟，电梯又下来了，他想，这趟一定要挤上去，可是这时候，突然有个人在他后边推了他一下，跑进了电梯，还大声喊："上不来了，等下一趟吧！"然后电梯门又关上了。

（一）根据短文内容，选择正确答案 *Choose the correct answer according to the text.*

1. 罗卫平他们公司在一座三十层大楼的第几层？（ B ）

   A. 第十九层　　B. 第二十九层

2. 每天上下班的时候，每个电梯都怎么样？（ B ）

   A. 很快　　B. 很挤

3. 罗卫平挤上第二趟电梯了吗？（ A ）

   A. 没挤上　　B. 挤上去了

（二）根据短文内容，判断正误 *Decide if the following statements are true or false according to the text.*

1. 罗卫平每天上下班都得坐电梯。（ √ ）
2. 今天早上，罗卫平到办公大楼一层的时候，已经差十分钟九点了。（ √ ）
3. 罗卫平这个月已经迟到三次了。（ × ）
4. 罗卫平等了两趟电梯也没上去。（ √ ）
5. 罗卫平跑进了电梯，还大声喊："上不来了，等下一趟吧！"（ × ）

10-6-2 短文二 我有一个好主意

我每天都按时起床，可是今天睡过头了。我起床以后，没刷牙，也没洗脸，背上书包就离开了家。来到马路上，打了一辆出租车，上去就跟司机说："师傅，您能开快一点儿吗？""对不起，在这条马路上开车，最快的速度每小时只能开 60 公里。"司机说。"可是，我八点上课，现在只有几分钟了，怎么办呢？要是迟到了多不好意思啊！"我着急地说。"你别着急，我有一个好主意，不知道你愿意不愿意。"司机说。"什么好主意呢？"我马上问。司机说："你要是现在回家睡觉，明天就不会睡过头了，也不会迟到了。"

（一）根据短文内容，选择正确答案 ***Choose the correct answer according to the text.***

1. "我"今天遇到什么问题？（ B ）
   A. 迟到了　　B. 起床晚了
2. "我"今天坐的是什么车？（ A ）
   A. 出租车　　B. 公共汽车
3. 今天"我"最有可能怎么样？（ A ）
   A. 迟到　　B. 回家睡觉

（二）根据短文内容，判断正误 ***Decide if the following statements are true or false according to the text.***

1. "我"起床以后，没刷牙，也没洗脸，背上书包就离开了家。（ √ ）
2. "我"八点上课。（ √ ）
3. 在这条马路上开车，最快的速度是每小时 70 公里。（ × ）
4. "我"很担心自己迟到。（ √ ）
5. 出租车司机说话很幽默。（ √ ）

（三）根据短文内容连线 ***Do the matching exercise according to the text.***

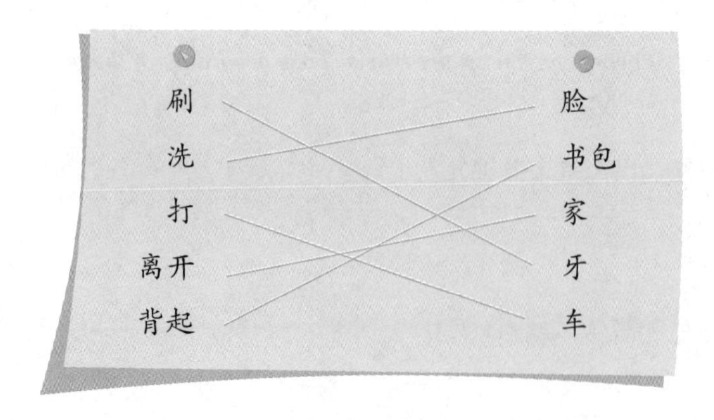

我的手机没电了
My Mobile Phone Is Out of Battery

第二部分　练习
Part Two　Exercises

11-4 一、听句子，听后判断 A 和 B 哪个与你听到的句子意思相同
Choose A or B according to what you hear.

1. 你把我的手机放在哪儿了？（ A ）
   A. 我的手机你放在哪儿了？
   B. 你的手机我放在哪儿了？
2. 你替我给她打个电话吧。（ A ）
   A. 你帮我给她打个电话吧。
   B. 我帮你给她打个电话吧。
3. 就说到这儿吧，我挂了。（ B ）
   A. 不说了，我走了。
   B. 不说了，我放下电话了。
4. 我没接到你的短信。（ A ）
   A. 你的短信我没收到。
   B. 我没接到他的短信。

二、听对话，听后做练习　*Listen to the conversations and do the exercises according to what you hear.*

11-5-1 对话一　你收到我的短信了吧

男：喂！志华吗？
女：是我。你收到我的短信了吧？
男：没有啊，什么时候发的？
女：今天早上。
男：我看看手机。
女：你没开机吗？
男：开了，手机还在我的包里呢。
女：收到了吗？
男：收到了。你说你今天晚上下班以后没时间，那我们就改个时间再见面吧。
女：明天下班以后怎么样？
男：行。明天下班以后我去你们公司门口等你。
女：好。就说到这儿吧，我挂了。
男：好，再见！

（一）根据对话内容，选择正确答案 ***Choose the correct answer according to the conversation.***

1. 女的什么时候给男的发的短信？（ A ）

A. 今天早上　　B. 今天晚上

2. 女的为什么给男的发短信？（ A ）

A. 她今天没时间跟男的见面　　B. 她明天没时间跟男的见面

3. 他们打算什么时候见面？（ B ）

A. 明天上班以前　　B. 明天下班以后

（二）根据对话内容填空 ***Fill in the blanks according to the conversation.***

1. 你（收）到我的短信了吧？
2. 手机还在我的（包）里呢。
3. 你说你今天晚上下班以后没时间，那我们就改个时间再（见面）吧。
4. 就说到（这儿）吧，我挂了。

11-5-2 对话二　回到家再打过去

女：你的手机响了。

男：我不能开着车接电话。

女：你递给我，我帮你看看是谁打来的。

男：好。

女：是一个叫志华的。

男：我的同事。你帮我给她发个短信吧。

女：我用汉语拼音发短信很慢。

男：那你就替我给她回个电话吧。

女：我说什么？

男：你跟她说，我正在开车呢，回到家再给她打过去。

（一）根据对话内容，选择正确答案 ***Choose the correct answer according to the conversation.***

1. 谁正在开车？（ A ）

A. 男的　　B. 女的

2. 女的为什么没帮男的回短信？（ B ）

A. 她不会用汉语拼音　　B. 她用汉语拼音发短信很慢

3. 男的在车上接电话了吗？（ B ）

A. 接了　　B. 没接

（二）根据对话内容填空 ***Fill in the blanks according to the conversation.***

1. 你的手机（ 响 ）了。
2. 我帮你看看是（ 谁 ）打来的。
3. 那你就替我给她（ 回 ）个电话吧。
4. 你跟她说，我正在（ 开车 ）呢，回到家再给她打过去。

三、听短文，听后做练习 ***Listen to the texts and do the exercises according to what you hear.***

11-6-1 短文一 我的手机没电了

我和志华是大学同学，上大学的时候关系很好。毕业以后，我们两个人一个在北京工作，一个在南京工作，虽然不在一个城市，但经常互相打电话或者发短信。可是最近不知道为什么，我给她打电话打不通了，而且每次打的时候都听到里边说："对不起，没有这个电话号码。"怎么回事儿呢？我想，我不会打错，因为我在手机里保存了她的手机号码。今天下班以后，我正要离开办公室，我的手机响了，我看了看电话号码，以前没见过。是什么人给我打来的呢？我接了电话才知道是志华。她告诉我，她换了一个新的电话号码，我想问她最近跟她的男朋友关系怎么样了，可是这时候我的手机没电了。

（一）根据短文内容，选择正确答案 ***Choose the correct answer according to the text.***

1. "我"和志华是什么关系？（ B ）

   A. 同事　　B. 同学

2. "我"和志华的关系怎么样？（ A ）

   A. 很好　　B. 一般

3. 最近"我"为什么打不通志华的电话？（ A ）

   A. 她换了手机号码　　B. "我"打错了号码

（二）根据短文内容，判断正误 ***Decide if the following statements are true or false according to the text.***

1. 毕业以后，"我"和志华一个在北京工作，一个在南京工作。（ √ ）
2. "我"和志华有时候互相打电话，有时候发短信。（ × ）
3. "我"在手机里保存了志华的手机号码。（ √ ）
4. 今天下班回到家以后，"我"的手机响了。（ × ）
5. "我"还没跟志华说完话，"我"的手机就没电了。（ √ ）

11-6-2 短文二 我想说对不起

先生下班回到家，太太马上递过去一杯茶，然后问："我今天上午给你打了三次电话，每次你都关机。怎么回事儿啊？你为什么关机了呢？""对不起，上午我一直在开会，没开机。"先生喝了一口茶说。"下午我又给你打了三次电话，每次都是占线，这又是怎么回事儿啊？"太太又问。"下午我不是打电话，就是接电话，忙极了。"先生又喝了一口茶说。"你找我有什么事儿啊？"先生问。"没什么事儿。"太太回答。"那你为什么给我打那么多次电话呢？"先生又问。太太开玩笑说："今天早上你去上班的时候，我忘了跟你说再见了，想说对不起。"

（一）根据短文内容，选择正确答案 ***Choose the correct answer according to the text.***

1. 先生下班以后，太太递给先生一杯什么？（ A ）

   A. 茶　　　　B. 咖啡

2. 太太一天给她先生打了几次电话？（ B ）

   A. 三次　　　　B. 六次

3. 早上先生上班的时候，太太忘了什么？（ A ）

   A. 跟先生说再见　　　　B. 跟先生说对不起

（二）根据短文内容，判断正误 ***Decide if the following statements are true or false according to the text.***

1. 太太今天上午给她先生打了三次电话。（ √ ）
2. 上午，太太每次给她先生打电话，她先生的手机都关机。（ √ ）
3. 先生上午没开会，一直接电话。（ × ）
4. 下午，太太给她先生又打了三次电话，但都没打通。（ √ ）
5. 太太很幽默。（ √ ）

（三）根据短文内容连线 ***Do the matching exercise according to the text.***

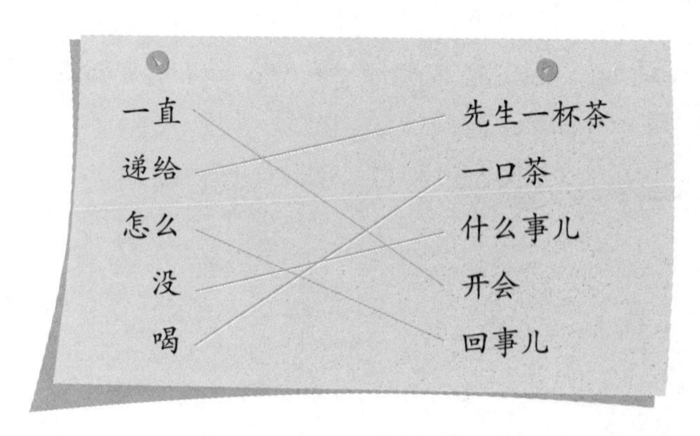

12 孙子教我学电脑

My Grandson Taught Me How to Use the Computer

第二部分　练习
Part Two　Exercises

12-4 一、听句子，听后判断 A 和 B 哪个与你听到的句子意思相同
Choose A or B according to what you hear.

1. 我每个星期给妈妈发一次邮件。（ A ）
   A. 我一个星期给妈妈发一次邮件。
   B. 我这个星期给妈妈发了一个邮件。
2. 我没收到他给我发的邮件。（ A ）
   A. 我没收到他发给我的邮件。
   B. 我没收到你给我发的邮件。
3. 奶奶一遍又一遍地练习打字。（ A ）
   A. 奶奶练习打字练习了很多遍。
   B. 奶奶练习打字只练习了一遍。
4. 他不会汉语拼音，所以不能用电脑打字。（ A ）
   A. 他不能用电脑打字，因为他不会汉语拼音。
   B. 他不会写汉字，所以不能用电脑打字。

二、听对话，听后做练习
Listen to the conversations and do the exercises according to what you hear.

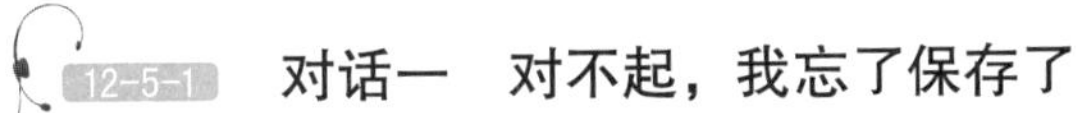

12-5-1 对话一　对不起，我忘了保存了

男：奶奶，我放学回来了。

女：你先做作业，然后再教我练习打字。

男：好。奶奶，您今天练习了吗？

女：练习了。

男：练习了多长时间？

女：跟昨天一样，还是一个小时。

男：您打完昨天的那个故事了吗？

女：打完了，你看看？

男：在哪儿呢？

女：哎哟！我忘了保存了。

（一）根据对话内容，选择正确答案 *Choose the correct answer according to the conversation.*

1. 谁放学回来了？（ A ）

A. 女的的孙子　　B. 女的的儿子

2. 奶奶今天和昨天练习打字的时间一样吗？（ A ）

A. 一样　　B. 不一样

3. 奶奶忘了什么？（ B ）

A. 打字　　B. 保存那个故事

（二）根据对话内容填空 *Fill in the blanks according to the conversation.*

1. 奶奶，我放学（回来）了。
2. 跟昨天（一样），还是一个小时。
3. 您打完昨天的那个（故事）了吗？
4. 哎哟，我（忘）了保存了。

12-5-2 对话二　我想起来了

男：喂，妈妈，您看到我发给您的邮件了吗？

女：我刚打开电脑。你再告诉我一遍，怎么才能进到我的邮箱里呢？

男：您先上网，打开雅虎网站 www.yahoo.com.cn。

女：上来了。

男：输入您的邮箱地址。

女：好。

男：再输入您的邮箱密码。

女：让我想想。我想不起来了，你记得吗？

男：您别着急，再想想。

女：我想起来了，是21346688。

男：打开了吗？

女：没有。

男：密码可能不对。

（一）根据对话内容，选择正确答案 *Choose the correct answer according to the conversation.*

1. 这是谁在给谁打电话？（ A ）

A. 儿子给妈妈　　B. 妈妈给儿子

2. 儿子给妈妈发了什么？（ B ）

A. 短信　　B. 电子邮件

3. 妈妈看到儿子发给她的邮件了吗？（ B ）

A. 看到了　　B. 不知道

（二）根据对话内容填空 *Fill in the blanks according to the conversation.*

1. 你再告诉我一遍，（怎么）才能进到我的邮箱里呢？

2. 您先（上网），打开雅虎网站 www.yahoo.com.cn。

3. 输入您的邮箱（地址）。

4. 再输入您的邮箱（密码）。

三、听短文，听后做练习 *Listen to the texts and do the exercises according to what you hear.*

12-6-1 短文一 孙子教我学电脑

我今年虽然 73 岁了，但也想跟年轻人一样，学电脑，用电脑。可是家里人都很忙，谁教我呢？儿子说让孙子每天放学以后教我。

孙子很快就教我学会了开机、关机和用鼠标，接着又教我学会了上网和发邮件。不过，当我第一次给在广州工作的女儿发照片的时候，她却没收到，我孙子说，我忘了发附件了。

学会了上网和发邮件以后，孙子又开始教我学习打字。打字有点儿难，因为我的汉语拼音经常打错。有一次，我花了一个星期的时间打完了一篇文章，当我想发给一个朋友的时候，却找不到了，我问孙子是怎么回事儿，他说我忘了保存了。

（一）根据短文内容，选择正确答案 *Choose the correct answer according to the text.*

1. “我”今年多大年纪了？（ A ）

A. 73 岁　　B. 83 岁

2. 谁教“我”学电脑？（ B ）

A. “我”儿子　　B. “我”孙子

3. 为什么“我”写的那篇文章找不到了？（ B ）

A. “我”不知道保存在哪儿了　　B. “我”没保存

（二）根据短文内容，判断正误 *Decide if the following statements are true or false according to the text.*

1. “我”也想跟年轻人一样，学电脑，用电脑。（ √ ）

2. 孙子很快就教“我”学会了开机、关机和用鼠标。（ √ ）

3. 孙子又教“我”学会了上网和发邮件。（ √ ）

4. “我”花了一个月的时间打完了一篇文章。（ × ）

5. “我”每天练习打字。（ × ）

12-6-2 短文二　奶奶不记得密码了

今天我放学回到家，跟每天一样，写完了作业，就开始教我奶奶学电脑。今天我教奶奶学习怎么打开自己的邮箱，因为昨天我已经教了她怎么上网。我告诉奶奶，要想打开自己的邮箱，就要先上网，找到自己邮箱用的那个网站，然后输入自己的邮箱地址，再输入邮箱的密码，邮箱就打开了。奶奶听了以后说："我记住了。"我说："那您就开始练习吧。"奶奶按我说的，先输入了网址 www.yahoo.com.cn，雅虎网站很快就打开了，接着，她又输入了她的邮箱地址和密码，但因为密码输错了，所以打不开。奶奶又输入了一遍，但还是打不开。看来奶奶是不记得密码了。

（一）根据短文内容，选择正确答案　*Choose the correct answer according to the text.*

1. 今天"我"教奶奶学什么？（ A ）
   A. 怎么打开自己的邮箱　　B. 怎么上网
2. "我"昨天教奶奶什么了？（ B ）
   A. 怎么打字　　B. 怎么上网
3. 奶奶为什么打不开自己的邮箱？（ B ）
   A. 输错了邮箱地址　　B. 输错了邮箱密码

（二）根据短文内容，判断正误　*Decide if the following statements are true or false according to the text.*

1. "我"写作业以前教奶奶学电脑。（ × ）
2. 要想打开自己的邮箱，就要先上网。（ √ ）
3. 奶奶的邮箱是雅虎的。（ √ ）
4. 奶奶输了三遍密码都没打开邮箱。（ × ）
5. 奶奶说她不记得自己的邮箱密码了。（ × ）

（三）根据短文内容连线　*Do the matching exercise according to the text.*

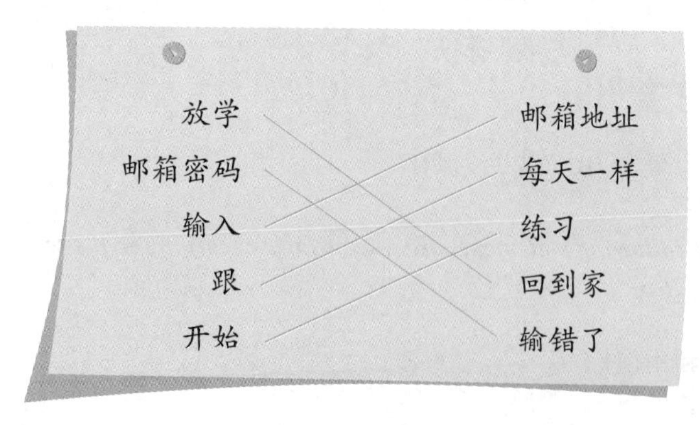

你怎么了 What's Wrong with You

第二部分　练习 Part Two　Exercises

13-4 一、听句子，听后判断 A 和 B 哪个与你听到的句子意思相同
Choose A or B according to what you hear.

1. 我的杯子被他摔坏了。（ A ）
   A. 他摔坏了我的杯子。
   B. 我摔坏了他的杯子。
2. 我的字典让他借走了。（ B ）
   A. 我借走了他的字典。
   B. 我的字典被他借走了。
3. 面包叫弟弟吃了，可是他说是我吃的。（ A ）
   A. 弟弟吃了面包，我没吃。
   B. 弟弟说他吃了面包，我没吃。
4. 你借给她的词典她还给你了吗？（ B ）
   A. 你还给她词典了吗？
   B. 她还给你词典了吗？

二、听对话，听后做练习 *Listen to the conversations and do the exercises according to what you hear.*

13-5-1 对话一　手机让我孩子摔坏了

男：你的手机怎么了？
女：让我孩子摔坏了。
男：你怎么让孩子玩儿手机呀？
女：不是我让他玩儿，是他从我的包里拿的。
男：你应该批评他。
女：他才三岁。
男：摔坏了怎么办呢？买个新的吧。
女：不用。修理一下就可以了。

（一）根据对话内容，选择正确答案 *Choose the correct answer according to the conversation.*

1. 谁摔坏了女的的手机？（ B ）
   A. 她自己　　B. 她的孩子
2. 孩子从哪儿拿的手机？（ A ）
   A. 她的包里　　B. 她的卧室里

3. 孩子几岁了？（ A ）

A. 三岁　　　　B. 五岁

（二）根据对话内容填空 *Fill in the blanks according to the conversation.*

1. 你的手机（怎么）了？
2. 让我（孩子）摔坏了。
3. 你（应该）批评他。
4. 修理（一下）就可以了。

13-5-2 对话二 洗衣机叫我用坏了

女：你怎么用手洗呀？

男：洗衣机叫我用坏了。

女：什么？洗衣机坏了？

男：对。

女：找修理的师傅来修修啊。

男：不知道找谁修理。

女：你怎么不给房东打电话呀？

男：今天是周末，打电话合适吗？

女：房东不是说过吗？要是房间里的东西坏了，可以随时给他打电话。

（一）根据对话内容，选择正确答案 *Choose the correct answer according to the conversation.*

1. 男的正在干什么呢？（ A ）

A. 用手洗衣服　　　　B. 洗手

2. 男的为什么不用洗衣机洗衣服？（ A ）

A. 洗衣机坏了　　　　B. 没有洗衣机

3. 从这个对话我们可以知道什么？（ B ）

A. 男的不会用洗衣机　　　　B. 男的住的公寓是租的

（二）根据对话内容填空 *Fill in the blanks according to the conversation.*

1. 怎么（用）手洗呀？
2. 洗衣机（叫）我用坏了。
3. 你怎么不给房东（打电话）呀？
4. 房东说过，要是房间里的东西（坏了），可以随时给他打电话。

三、听短文，听后做练习 *Listen to the texts and do the exercises according to what you hear.*

13-6-1 短文一 今天真倒霉

今天是我最倒霉的一天。早上睡过头了，跑到马路上打了一辆出租车，到了公司已经九点十分了，迟到了，让经理批评了一顿；下午下班走在路上，遇上了大雨，没带雨伞，衣服叫大雨淋湿了；晚上吃完晚饭，我想给在杭州出差的先生打个电话，告诉他今天遇到的倒霉的事，却发现两岁的儿子正拿着我的手机玩儿呢。我说："好孩子，那是妈妈的手机，给我，我给爸爸打个电话！"儿子听了，一边跑一边叫："爸爸！爸爸！"我跑过去，但手机已经被他摔到了地上，我捡起手机，结果发现已经被摔坏了。我想，今天真倒霉！

（一）根据短文内容，选择正确答案 *Choose the correct answer according to the text.*

1. 今天"我"遇到了几件倒霉的事？（ A ）

   A. 3 件　　　　B. 5 件

2. 这个故事里的"被"、"让"和"叫"意思一样吗？（ A ）

   A. 一样　　　　B. 不一样

3. 晚上吃完晚饭以后"我"发现了什么？（ B ）

   A."我"的杯子被孩子摔坏了　　　　B."我"的手机被孩子摔坏了

（二）根据短文内容，判断正误 *Decide if the following statements are true or false according to the text.*

1. 上午"我"上班迟到了，被经理批评了一顿。（ √ ）
2. 下午下班走在路上，遇上了大雨，没带雨伞，衣服被大雨淋湿了。（ √ ）
3. "我"的儿子两岁。（ √ ）
4. 手机被儿子打坏了。（ × ）
5. "我"给先生打了电话。（ × ）

13-6-2 短文二 你怎么了

我的电子词典是我的老师，我走到哪里就把它带到哪里。上课的时候，我随时都可能打开它，查我没听懂的词；下课的时候，有了问题，我也总是问它：这个词念什么，那个词是什么意思。可是今天上午下课休息的时候，我去了一趟厕所，回来就发现我的电子词典没有了。桌子上、书包里我都找了一遍，没有；我又去厕所找了一遍，还是没有。这时候上课铃响了，坐在我后边的一个印尼同学问我："你怎么了？"我说："我的电子词典被人拿走了。"他听了笑了，说："你忘了吗？在我这儿呢。刚才上课的时候你借给我了，我用完以后还没还给你呢。"

（一）根据短文内容，选择正确答案 *Choose the correct answer according to the text.*

1. 什么东西是“我”最好的老师？（ B ）

   A. “我”的汉语词典　　B. “我”的电子词典

2. 什么时候“我”发现“我”的电子词典没有了？（ A ）

   A. 下课休息的时候　　B. 上课的时候

3. “我”的电子词典在哪儿？（ B ）

   A. 书包里　　B. 同学那儿

（二）根据短文内容，判断正误 *Decide if the following statements are true or false according to the text.*

1. “我”的电子词典是“我”的老师。（ √ ）
2. “我”走到哪里就把电子词典带到哪里。（ √ ）
3. 上课的时候，“我”很少打开“我”的电子词典。（ × ）
4. “我”去了一趟办公室，回来就发现“我”的电子词典没有了。（ × ）
5. “我”的电子词典被印尼同学借走了。（ √ ）

（三）根据短文内容连线 *Do the matching exercise according to the text.*

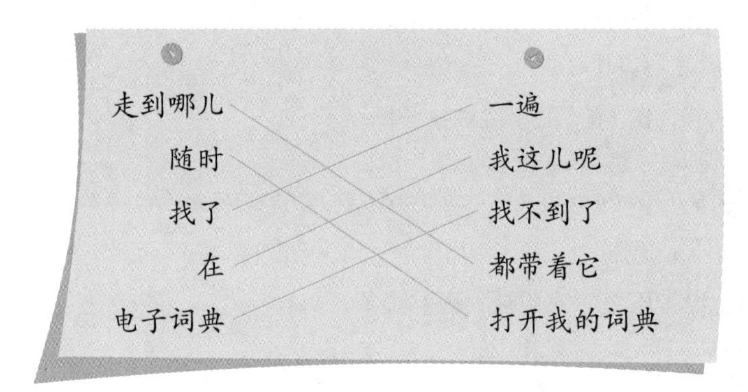

我还有一道题没做呢

I Have One More Exercise to Do

第二部分　练习
Part Two　Exercises

14-4 一、听句子，听后判断 A 和 B 哪个与你听到的句子意思相同
Choose A or B according to what you hear.

1. 今天老师留的作业不多。（ A ）
   A. 今天的作业不多。
   B. 今天老师留了很多作业。
2. 你每天几点开始写作业？（ B ）
   A. 你每天几点写完作业？
   B. 你每天几点做作业？
3. 我还有一道题就做完了。（ A ）
   A. 我再做一道题就做完了。
   B. 我还有几道题就做完了。
4. 我把作业落在家里了。（ B ）
   A. 我现在还在家里呢。
   B. 我的作业忘在家里了。

二、听对话，听后做练习
Listen to the conversations and do the exercises according to what you hear.

14-5-1 对话一　我还有三行没看完呢

女：谁还没有看完课文？
男：老师，我还有三行没看完呢。
女：我再等两分钟。
男：谢谢。
女：现在看完了吗？
男：看完了。
女：现在我问问题，请大家回答：倒数第三行的第一个词念什么？
男：马虎。
女：最后一行的最后一个词念什么？
男：复印。
女：现在我们把书翻到 114 页，做练习。
男：老师，多少页？请您再说一遍。
女：114 页。

（一）根据对话内容，选择正确答案 *Choose the correct answer according to the conversation.*

1. 男的还有几行没看完？（ B ）

A. 两行　　B. 三行

2. 最后一行的最后一个词念什么？（ A ）

A. 复印　　B. 马虎

3. 老师让学生把书翻到多少页？（ B ）

A. 104 页　　B. 114 页

（二）根据对话内容填空 *Fill in the blanks according to the conversation.*

1.（谁）还没有看完课文？

2. 现在我问问题，请大家（回答）。

3. 倒数第三行的第一个（词）念什么？

4. 现在我们把书翻到 114（页），做练习。

14-5-2 对话二　我把作业落在家里了

女：你怎么回来了？

男：妈妈，我忘了带U盘了。

女：你怎么这么马虎啊？进来自己找吧。

男：我不进去了，您递给我好吗？

女：你把U盘放在哪儿了？

男：桌子上。

女：没有啊。你带U盘到学校干什么呢？

男：打印作业。您看我的卧室里有没有。

女：好。

男：有吗？

女：还是没有。你看看是不是在你的书包里呀？

男：我把书包放在教室里了。

（一）根据对话内容，选择正确答案 *Choose the correct answer according to the conversation.*

1. 男的为什么回家来？（ A ）

A. 忘了带U盘　　B. 忘了写作业

2. 男的在哪儿和妈妈说话？（ A ）

A. 他家门口　　B. 学校

3. 男的把U盘放在哪儿了？（ B ）

A. 书包里　　B. 不知道

（二）根据对话内容填空 ***Fill in the blanks according to the conversation.***

1. 你怎么这么马虎啊？你（进来）自己找吧。
2. 我不（进去）了，您递给我好吗？
3. 你把U盘（放）在哪儿了？
4. 我把（书包）放在教室里了。

三、听短文，听后做练习 *Listen to the texts and do the exercises according to what you hear.*

14-6-1 短文一 我还有一道题没做呢

我一般是在晚上八点开始写作业，写完以后洗澡，然后上床睡觉。可是今天还有一道练习题没做呢，就困了。我看了看表，刚九点多，怎么办呢？明天还要交给老师呢。我走到卫生间里洗了洗脸，可是刚坐到椅子上又困了。没办法，我只好脱衣服上床，一躺下就睡着了。十一点多，我突然被电视里足球比赛的声音吵醒了，我跟同屋说："珍妮，你把电视关小点儿声好吗？"她说："我没看电视，是隔壁的人在看，我在写作业呢。"我说："对不起。你还有几道题没做完？"她说："就剩最后一道题了。"我说："已经十一点多了，别写了，你最好按时睡觉。"她说："我们老师每次留了作业以后都说，一定要按时交作业，没说过要按时睡觉。"

（一）根据短文内容，选择正确答案 ***Choose the correct answer according to the text.***

1. 每天晚上几点"我"开始写作业？（ A ）
   A. 八点　　B. 九点
2. "我"今天还有几道练习题没做就困了？（ A ）
   A. 一道　　B. 两道
3. "我"醒来的时候，同屋珍妮在做什么？（ B ）
   A. 看电视　　B. 写作业

（二）根据短文内容，判断正误 ***Decide if the following statements are true or false according to the text.***

1. "我"一般是写完作业以后洗澡，然后上床睡觉。（ √ ）
2. "我"不想睡觉，因为"我"的作业还没做完呢。（ √ ）
3. 十一点多，"我"突然被珍妮看电视的声音吵醒了。（ × ）
4. 珍妮说她每天都按时睡觉。（ × ）

14-6-2 短文二 你怎么落了一道题呀

为了练习用电脑打汉字，我每次都用电脑写作业，写完以后再用打印机打印出来。而每次当我把作业交给老师的时候，老师都说："你最好用笔写，要是经常用电脑写作业，就不会写汉字了。"老师的话很有道理，所以从昨天开始，我就不用电脑写作业了。昨天的作业不多，只有综合课的老师留了作业，是做十二课后边的练习。因为是用笔写，所以我写得很慢，花了两个多小时才做完。没想到，今天当我把作业交给老师的时候，老师却说："你怎么落了一道题呀？"我说："没有啊。您不是说从练习三到练习五吗？"老师说："不对，是从练习三到练习六。"

（一）根据短文内容，选择正确答案 *Choose the correct answer according to the text.*

1. 以前"我"每次都怎么写作业？（ A ）
   A. 用电脑　　B. 用笔
2. 老师认为最好用什么写作业？（ A ）
   A. 用笔　　B. 用电脑
3. 今天"我"交作业的时候老师说什么？（ A ）
   A. "我"少做了一道题　　B. "我"少做了两道题

（二）根据短文内容，判断正误 *Decide if the following statements are true or false according to the text.*

1. 老师认为，经常用电脑写作业，就不会写汉字了。（ √ ）
2. 从昨天开始，"我"不用电脑写作业了。（ √ ）
3. 昨天的作业不多，只有听力课的老师留了作业。（ × ）
4. 昨天的作业是做第二课后边的练习。（ × ）

（三）根据短文内容连线 *Do the matching exercise according to the text.*

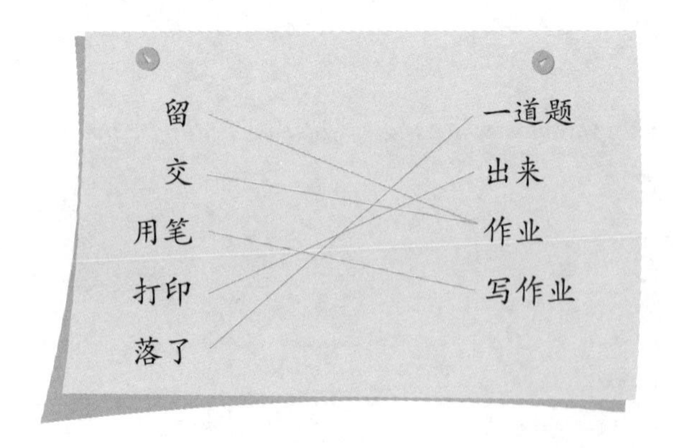

就要期中考试了
The Mid-Term Examination Is Coming Soon

第二部分　练习
Part Two　Exercises

15-4 一、听句子，听后判断 A 和 B 哪个与你听到的句子意思相同
Choose A or B according to what you hear.

1. 考试结束的时间就要到了。（ A ）
   A. 考试结束的时间快到了。
   B. 考试结束的时间已经到了。
2. 你这次考试考得怎么样？（ B ）
   A. 你上次考试考得怎么样？
   B. 你这次考试考得好吗？
3. 他的口语考试不到 80 分。（ A ）
   A. 他的口语考试没到 80 分。
   B. 他的口语考试只有 80 分。
4. 考试的时间是从八点到十点半。（ B ）
   A. 考试的时间是一个半小时。
   B. 考试的时间是两个半小时。

二、听对话，听后做练习
Listen to the conversations and do the exercises according to what you hear.

15-5-1 **对话一　考试结束的时间快到了**

男：考试结束的时间快到了，没有答完的同学请快一点儿。
女：老师，还有几分钟啊？
男：五分钟。
女：老师，我有问题！
男：什么问题？
女：考试的时间不是从八点到九点半吗？
男：是啊。
女：可是我的表才九点。
男：你的表停了吧？
女：真倒霉，停了。怎么办呢？
男：对不起，时间到了。请大家把考试卷子交给我。

（一）根据对话内容，选择正确答案 ***Choose the correct answer according to the conversation.***

1. 这个对话是在什么时候？（ B ）

   A. 考试以前　　B. 考试的时候

2. 女的的表怎么了？（ A ）

   A. 停了　　B. 丢了

3. 考试从几点到几点？（ A ）

   A. 从八点到九点半　　B. 从八点半到九点半

（二）根据对话内容填空 ***Fill in the blanks according to the conversation.***

1. 考试结束的时间（快）到了。
2. 没有（答）完的同学请快一点儿。
3. 可是我的表（才）九点。
4. 对不起，时间到了。请大家把（考试）卷子交给我。

15-5-2 对话二　你得了多少分

女：这么快这个学期就结束了。

男：是啊，时间过得真快！

女：期末考试你考得怎么样？

男：有的还可以，有的不太好。你呢？各门课是不是都在90分以上啊？

女：只有综合课得了96分。

男：口语呢？

女：不到80分。

男：听力呢？

女：不好意思，差两分60。

（一）根据对话内容，选择正确答案 ***Choose the correct answer according to the conversation.***

1. 他们说的是哪次考试？（ B ）

   A. 期中考试　　B. 期末考试

2. 女的哪门课的成绩最好？（ A ）

   A. 综合　　B. 口语

3. 女的哪门课考试不及格？（ B ）

   A. 口语　　B. 听力

（二）根据对话内容填空 ***Fill in the blanks according to the conversation.***

1. 期末考试你考（ 得 ）怎么样？
2. 有的（ 还可以 ），有的不太好。
3. 各（ 门 ）课是不是都在 90 分以上啊？
4. 不好意思，（ 差 ）两分 60。

三、听短文，听后做练习 ***Listen to the texts and do the exercises according to what you hear.***

15-6-1 短文一 就要期中考试了

下周就要期中考试了，今天上课的时候，我们问了老师很多关于考试的问题。比如，星期几考试？先考哪门课？后考哪门课？每门课都是从第几课考到第几课？多少分及格？等等。老师都回答了，还讲了考试要注意的很多问题，比如，考试的时候不能迟到，不能离开教室，也不能互相说话。另外，回答问题的时候不能用铅笔，要用圆珠笔；还有，一定要写汉字，不能写拼音。大家听了老师的话都很紧张，但一个非洲同学却开玩笑说："老师，考试的时候我可以看词典吗？"老师笑了，也开玩笑说："你不可以看词典，但你可以问我。"

（一）根据短文内容，选择正确答案 ***Choose the correct answer according to the text.***

1. 什么时候期中考试？（ B ）
   A. 这周 B. 下周
2. 今天"我们"问了老师什么？（ A ）
   A. 关于考试的问题 B. 关于考试的题目
3. 谁跟老师开玩笑？（ A ）
   A. 一个非洲同学 B. 一个韩国同学

（二）根据短文内容，判断正误 ***Decide if the following statements are true or false according to the text.***

1. 老师只回答了"我们"多少分及格。（ × ）
2. 考试的时候不能迟到，不能离开教室，也不能互相说话。（ √ ）
3. 回答问题的时候不能用铅笔，要用圆珠笔。（ √ ）
4. 考试时一定要写汉字，不能写拼音。（ √ ）
5. 老师说考试的时候可以看词典。（ × ）

15-6-2 短文二 你觉得她能及格吗

期末考试结束了，兰花非常担心自己的口语考试不及格，因为如果不及格，她下个学期就得不到奖学金了。

为什么她这么担心她的口语考试呢？我们听听她是怎么说的：

口语考试有笔试和口试两个部分。笔试是读一篇文章，读完以后回答问题；口试是说一段话，老师给了我两个话题，让我挑选一个，说三分钟。两个部分我考得都不太好。读文章的时候，我有好几个生词不认识；回答问题的时候，我有很多汉字不会写。说话的时候，我用的都是最简单的词，而且说了两分钟就停下了。老师说："时间不足 3 分钟，请继续说。"我想了很长时间，可是还是不知道说什么。

听了兰花上面说的考试情况，你觉得她能及格吗？

（一）根据短文内容，选择正确答案 *Choose the correct answer according to the text.*

1. 兰花担心哪门课考试可能不及格？（ B ）

   A. 听力　　B. 口语

2. 口语考试有几个部分？（ A ）

   A. 两个部分　　B. 三个部分

3. 你觉得兰花的口语考试能及格吗？（ B ）

   A. 能　　B. 不能

（二）根据短文内容，判断正误 *Decide if the following statements are true or false according to the text.*

1. 如果考试不及格，兰花下个学期就得不到奖学金了。（ √ ）
2. 笔试是读一篇文章，读完以后回答问题。（ √ ）
3. 口试的时候，兰花挑选了一个话题，说了三分钟。（ × ）
4. 读文章的时候，兰花有好几个生词不认识。（ √ ）
5. 说话的时候，兰花用的都是最简单的词。（ √ ）

（三）根据短文内容连线 *Do the matching exercise according to the text.*

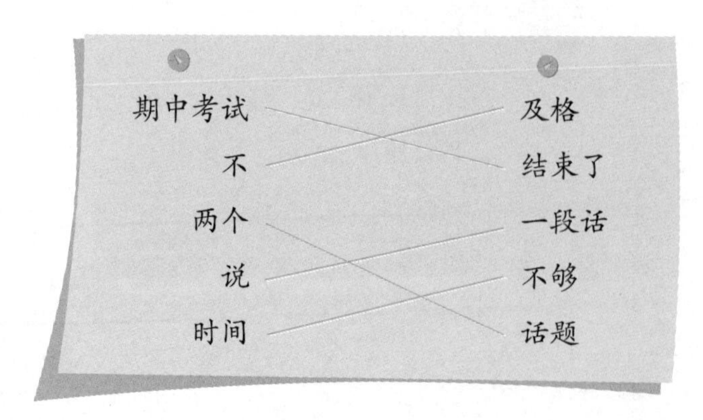

我哪儿也没去
I Didn't Go Anywhere

第二部分　练习
Part Two　Exercises

16-4 一、听句子，听后判断 A 和 B 哪个与你听到的句子意思相同
Choose A or B according to what you hear.

1. 星期天我们出去玩儿了一天。（ B ）
   A. 星期天我们在家。
   B. 星期天我们不在家。
2. 今天下雨，他们在宿舍里，哪儿也没去。（ B ）
   A. 今天下雨，他们除了在宿舍里，还去了哪儿？
   B. 今天下雨，他们只在宿舍里，没去别的地方。
3. 他坐在湖边的那个椅子上。（ A ）
   A. 他坐在湖边的椅子上。
   B. 他坐在河边的椅子上。
4. 照了两三张，我的照相机就没电了。（ A ）
   A. 照了几张，我的照相机就没电了。
   B. 照了十几张，我的照相机就没电了。

二、听对话，听后做练习 *Listen to the conversations and do the exercises according to what you hear.*

16-5-1 对话一　你今天去哪儿了

女：你今天去哪儿了？
男：约翰约我一起去郊外玩儿了。你呢？
女：我哪儿也没去，就在宿舍里听录音了。
男：你真够努力的。
女：没办法，我听力不太好。
男：下次你跟我们一起出去玩儿吧。
女：好啊。秋天来了，郊外的风景一定很漂亮。
男：是啊，太漂亮了！
女：你们照相了吗？
男：照了几张，我的照相机就没电了。
女：约翰不是也有照相机吗？
男：他没带。

（一）根据对话内容，选择正确答案 ***Choose the correct answer according to the conversation.***

1. 男的和约翰今天去哪儿玩儿了？（ B ）

A. 公园　　B. 郊外

2. 女的去哪儿了？（ A ）

A. 哪儿也没去　　B. 去郊外了

3. 现在是春天还是秋天？（ B ）

A. 春天　　B. 秋天

（二）根据对话内容填空 ***Fill in the blanks according to the conversation.***

1. 约翰约我（一起）去郊外玩儿了。你呢？
2. 我哪儿也没去，就在宿舍里听（录音）了。
3. 你真（够）努力的。
4. 约翰没（带）照相机。

16-5-2 对话二　笑一笑

女：我给你照张相吧。

男：好啊。我站在哪儿？

女：湖边怎么样？

男：好。

女：来，看这儿，笑一笑！

男：照完了吗？

女：等一会儿，你后边走过来一个人。

男：现在可以了吗？

女：可以了。笑一笑！

（一）根据对话内容，选择正确答案 ***Choose the correct answer according to the conversation.***

1. 谁给谁照相？（ A ）

A. 女的给男的　　B. 男的给女的

2. 照相的时候男的是站着还是坐着？（ B ）

A. 坐着　　B. 站着

3. 女的照相的时候为什么说“等一会儿”？（ B ）

A. 男的前边走过来一个人　　B. 男的后边走过来一个人

（二）根据对话内容填空 *Fill in the blanks according to the conversation.*

1. 我给你照（张）相吧。
2. 我（站）在哪儿？
3. 看（这儿），笑一笑！
4. 等一会儿，你后边走（过来）一个人。

三、听短文，听后做练习 *Listen to the texts and do the exercises according to what you hear.*

16-6-1 短文一 我们出去了一天

上个星期六，我想开车带着太太和孩子去郊外玩儿，星期天在家休息，可是星期六刮大风了，所以哪儿也没去。星期天，风停了，而且天气很好，我们全家就出去了。

上午，我们去了郊外一个很有名的公园，那里的风景很漂亮，有山，有湖，有花，还有很多树。我们带着孩子散步、爬山，还一边玩儿一边照相，一直玩儿到中午，高兴极了。

从公园出来，我们去了麦当劳，每人要了一份套餐：有一个汉堡包，一包炸薯条，还有一杯可口可乐。吃完以后，我们又去了一个很大的书店。在那里，我们挑选了几张电影光盘和几盘音乐 CD，回到家已经六点多了。

（一）根据短文内容，选择正确答案 *Choose the correct answer according to the text.*

1. 上个星期六"我"去哪儿了？（ B ）
   A. 去郊外了　　B. 哪儿也没去
2. 那天"我们"一共去了几个地方？（ B ）
   A. 两个　　B. 三个
3. "我们"在哪儿吃的午饭？（ B ）
   A. 小饭馆　　B. 麦当劳

（二）根据短文内容，判断正误 *Decide if the following statements are true or false according to the text.*

1. 上个星期六，"我"想一个人开车去郊外玩儿，星期天在家休息。（ × ）
2. 星期天"我们"全家去了郊外一个有名的公园。（ √ ）
3. 公园的风景很漂亮，有山，有湖，有花，还有很多树。（ √ ）
4. "我们"从公园出来，就去了一个很大的书店。（ × ）
5. "我们"六点多回到家。（ √ ）

16-6-2 短文二 我哪儿也没去

摄影是加拿大学生约翰最大的爱好。他上高中的时候就开始学习摄影，照了许多漂亮的照片，其中有一张风景照片还得了他们学校的摄影奖。从那以后，他就更喜欢摄影了。

他来到中国学习以后，常常在周末的时候去郊外摄影，有时候，他还把自己照的照片洗出来。今天他就来到了学校附近的一个小照相馆。照相馆的人都认识他，因为他经常来他们这里洗照片。他刚一进门，照相馆的人就问："约翰，又去哪儿拍照片了？""最近有考试，所以哪儿也没去。"约翰回答。"我们以为你今天来这儿又是洗照片呢。"照相馆的人说。"是啊，我就是来洗照片的，不过不是最近照的，是以前在加拿大照的。"

（一）根据短文内容，选择正确答案 *Choose the correct answer according to the text.*

1. 加拿大学生约翰最大的爱好是什么？（ B ）
   A. 洗照片　　B. 拍照片
2. 照相馆在什么地方？（ B ）
   A. 学校里边　　B. 学校附近
3. 今天约翰要洗的照片是在哪儿照的？（ B ）
   A. 中国　　B. 加拿大

（二）根据短文内容，判断正误 *Decide if the following statements are true or false according to the text.*

1. 约翰上大学的时候有一张风景照片得了他们学校的摄影奖。（ × ）
2. 约翰来到中国学习以后，常常在周末的时候去郊外拍照片。（ √ ）
3. 照相馆的人都认识约翰，因为他经常来他们这里洗照片。（ √ ）
4. 约翰说他最近有考试，所以什么地方也没去。（ √ ）
5. 约翰今天来照相馆不打算洗照片。（ × ）

（三）根据短文内容连线 *Do the matching exercise according to the text.*

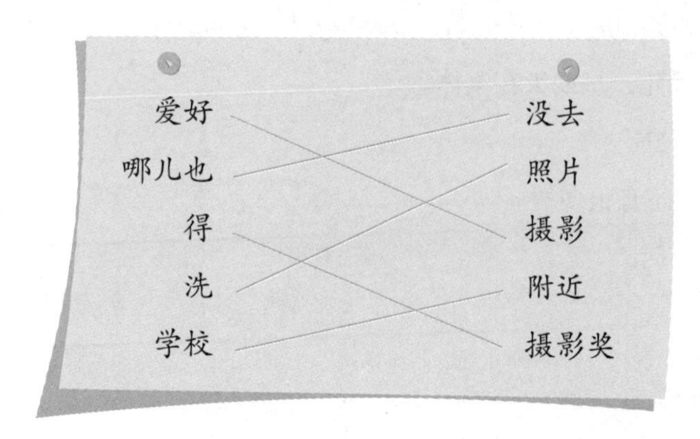

17 买一送一
Buy One, Get One Free

第二部分 练习
Part Two Exercises

17-4 一、听句子，听后判断 A 和 B 哪个与你听到的句子意思相同
Choose A or B according to what you hear.

1. 家里什么水果也没有了。（ A ）
   A. 家里没有水果了。
   B. 商店里没有水果了。
2. 我把自己想说的话写在了纸上。（ A ）
   A. 我把自己想说的话写在纸上了。
   B. 我想在纸上写上自己想说的话。
3. 他把我的手机放在了办公室的桌子上。（ A ）
   A. 我的手机被他放在了办公室的桌子上。
   B. 我的电脑被他放在了办公室的桌子上。
4. 牛奶快吃完了。（ A ）
   A. 牛奶就要吃完了。
   B. 牛奶吃完了。

二、听对话，听后做练习
Listen to the conversations and do the exercises according to what you hear.

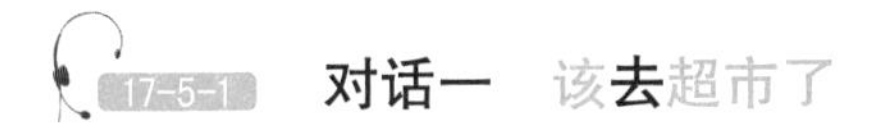

17-5-1 对话一 该去超市了

女：你看看冰箱里还有什么。
男：我刚才看过了，除了还有一点儿蔬菜，别的什么也没有了。
女：上次买的牛肉也都吃完了吗？
男：昨天就已经吃完了。
女：该去超市了。
男：是啊。什么时候去呢？
女：今天晚上怎么样？
男：可以。你去还是我去？
女：我们一起去吧。

（一）根据对话内容，选择正确答案 *Choose the correct answer according to the conversation.*

1. 冰箱里现在有什么？（ A ）

A. 一点儿蔬菜　　B. 什么也没有

2. 上次买的牛肉还有吗？（ B ）

A. 有　　B. 没有

3. 他们什么时候去超市？（ A ）

A. 今天晚上　　B. 明天晚上

（二）根据对话内容填空 *Fill in the blanks according to the conversation.*

1. 冰箱里（除了）还有一点儿蔬菜，别的什么也没有了。
2. 上次（买）的牛肉也都吃完了吗？
3. 牛肉昨天就已经吃（完）了。
4.（该）去超市了。

17-5-2 对话二　我什么也不买

男：那边有车，我们推一辆吧。
女：好。是从这儿进去吧？
男：不，这边是超市的出口，那边是入口。
女：噢。我们先去几层啊？
男：一层卖吃的，二层卖用的。
女：那我们就先上二层吧。
男：你想买什么？
女：一瓶洗发水和一袋洗衣粉。你呢？
男：我陪你上去吧，我什么也不买。

（一）根据对话内容，选择正确答案 *Choose the correct answer according to the conversation.*

1. 哪边是超市的入口？（ B ）

A. 这边　　B. 那边

2. 买洗发水去几层？（ B ）

A. 一层　　B. 二层

3. 男的去二层买什么？（ A ）

A. 什么也不买　　B. 什么都买

（二）根据对话内容填空 ***Fill in the blanks with the appropriate words according to the conversation.***

1. 我们推一辆（车）吧。
2. 这边是超市的出口，（那边）是入口。
3. 一层（卖）吃的，二层（卖）用的。
4. 我（陪）你上去吧。

三、听短文，听后做练习 ***Listen to the texts and do the exercises according to what you hear.***

17-6-1 短文一 我们俩工作都非常忙

我们家有三口人，我先生是大学教授，我在公司当工程师，我们的孩子去年已经上大学了，住在大学里的学生宿舍，周末回来，平时家里只有我和先生两个人。

我们俩工作都非常忙，所以买东西、做晚饭一直是个很麻烦的问题。最近，我和先生商量：我做晚饭，他去超市买东西。应该说，这个安排很简单，但是，有好几次我做晚饭时，却发现冰箱里什么也没有。后来我想了一个办法，在看到冰箱里的东西吃完了的时候，我就把"该去超市了"写在一张纸条儿上，然后把它贴在冰箱的门上。可是，当我做晚饭的时候，冰箱里还是什么也没有。我问先生怎么回事儿，他说："我哪有时间看冰箱的门啊？"

（一）根据短文内容，选择正确答案 ***Choose the correct answer according to the text.***

1. 平时"我"家有谁？（ A ）
   A. "我"和"我"先生　　B. "我"、"我"先生和儿子
2. 现在"我"和"我"先生怎么样？（ B ）
   A. 生活很寂寞　　B. 工作非常忙
3. "我"先生看到"我"在冰箱门上贴的纸条儿了吗？（ B ）
   A. 看到了　　B. 没有

（二）根据短文内容，判断正误 ***Decide if the following statements are true or false according to the text.***

1. "我们"家有三口人，"我"先生是大学教授，"我"是工程师。（ √ ）
2. "我们"的孩子今年该上大学了。（ × ）
3. 最近，"我"和先生商量：他做晚饭，"我"去超市买东西。（ × ）
4. 有好几次"我"做晚饭时发现冰箱里什么也没有。（ √ ）
5. "我"把"该去超市了"的纸条儿贴在了家里的门上。（ × ）

17-6-2 短文二 买一送一

李先生经常和太太一起去超市买东西，不过，李先生的工作主要有两个，一个是负责开车，一个是买了东西以后把东西拿到车上。太太呢，主要的工作也是两个，一个是决定东西该不该买，一个是负责挑选东西。今天他们又一起来到了超市。他们先来到了二层，李先生说，家里的洗发水快用完了，该买一瓶了，而太太却说，今天的洗发水一点儿也不便宜，所以先不买。当他们来到一层的时候，太太突然看到卖酸奶的地方写着“买一送一”几个大字，就大声跟李先生说：“你快看，酸奶买一送一！”李先生说：“我们上次买的还有好多呢，下次再买吧。”太太说：“你不明白吗？买一送一就是买一个给两个！”

（一）根据短文内容，选择正确答案 ***Choose the correct answer according to the text.***

1. 李先生经常和太太一起去干什么？（ A ）
   A. 去超市买东西　　B. 开车去玩儿
2. 去超市的时候，李先生的主要工作除了开车以外，还有什么？（ A ）
   A. 帮助拿东西　　B. 挑选东西
3. 今天什么东西买一送一？（ B ）
   A. 洗发水　　B. 酸奶

（二）根据短文内容，判断正误 ***Decide if the following statements are true or false according to the text.***

1. “今天”李先生和他太太又一起来到了超市。（ √ ）
2. 他们先来到了一层。（ × ）
3. 李先生说，家里的洗发水快用完了，该买一瓶了。（ √ ）
4. 太太认为今天的洗发水一点儿也不便宜，所以先不买。（ √ ）
5. 他们上次买的酸奶快吃完了。（ × ）

（三）根据短文内容连线 ***Do the matching exercise according to the text.***

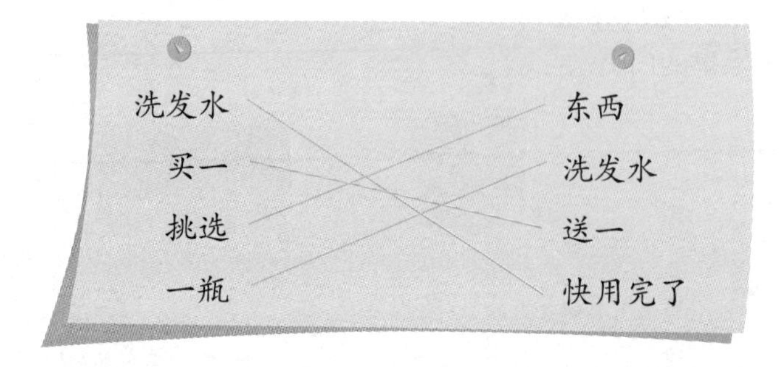

18 她比以前胖多了
She Is Much Fatter Than Before

第二部分　练习
Part Two　Exercises

18-4 一、听句子，听后判断 A 和 B 哪个与你听到的句子意思相同

Choose A or B according to what you hear.

1. 我比他高。（ A ）
   A. 我高，他矮。
   B. 我矮，他高。
2. 他不如我胖。（ A ）
   A. 他没我胖
   B. 他比我胖。
3. 他比以前更胖了。（ B ）
   A. 他以前瘦，现在胖了。
   B. 他以前胖，现在更胖。
4. 你没我高。（ A ）
   A. 你矮，我高。
   B. 你高，我矮。

二、听对话，听后做练习

Listen to the conversations and do the exercises according to what you hear.

18-5-1 对话一　咱们比一比

男：姐姐，你过来！

女：什么事儿？

男：我想跟你比一比身高。

女：别比了，我当然比你高了。

男：那是半年以前量的了。那时候我是 1 米 60，你记得吧？

女：记得。

男：现在你知道我有多高吗？

女：不知道。

男：来，咱们比一比！

女：好。

男：你看，1 米 62，只比你矮了一点儿。

女：真没想到你长得这么快！

（一）根据对话内容，选择正确答案 ***Choose the correct answer according to the conversation.***

1. 半年前弟弟的身高是多少？（ B ）

A. 1 米 50　　B. 1 米 60

2. 现在弟弟有多高？（ A ）

A. 1 米 62　　B. 1 米 65

3. 现在弟弟和姐姐谁高？（ B ）

A. 弟弟　　B. 姐姐

（二）根据对话内容填空 ***Fill in the blanks according to the conversation.***

1. 姐姐，你（过来）！
2. 我想（跟）你比一比身高。
3. 那是（半年）以前量的了。
4. 我只比你矮了（一点儿）。

18-5-2 对话二　怎么减呢

男：我的朋友都说我比以前更胖了。

女：我觉得你跟以前差不多。你现在的体重是多少？

男：95 公斤。

女：以前呢？

男：90 公斤。

女：你应该马上减肥。

男：我试过，很难减。

女：我有一个好办法。

男：什么好办法？

女：每天不吃饭，只喝水。

男：那我很快就饿死了。

女：不会。

男：为什么？

女：因为你不可能坚持。

（一）根据对话内容，选择正确答案 ***Choose the correct answer according to the conversation.***

1. 男的以前怎么样？（ A ）

A. 很胖　　B. 不胖

2. 男的现在多少公斤？（ A ）

A. 95 公斤　　B. 90 公斤

3. 女的认为男的能减肥吗？（ B ）

A. 能　　B. 不能

（二）根据对话内容填空　*Fill in the blanks according to the conversation.*

1. 我觉得你跟（以前）差不多。

2. 我试过，很难（减）。

3. 每天不吃饭，只（喝水）。

4. 你不可能（坚持）。

三、听短文，听后做练习　*Listen to the texts and do the exercises according to what you hear.*

18-6-1　短文一　她比以前胖多了

姐姐今年 17 岁，妹妹今年 15 岁。姐妹俩经常比身高、比体重、比身材。去年，两个人一起量身高、称体重，姐姐比妹妹高两厘米，但体重却跟妹妹差不多。今年姐妹两个人又一起量身高、称体重，姐姐比妹妹矮了一厘米，体重却比妹妹多了四公斤。姐姐看到自己比以前胖多了，下决心马上减肥。怎么减呢？她的计划是，每天早上只喝一瓶水，中午只吃一个苹果和一个香蕉，晚上喝一瓶酸奶。还有，每天上下楼不坐电梯，走楼梯。

姐姐坚持了一个星期，体重减了一公斤，她非常高兴。但到了第八天晚上，她觉得太饿了，于是跑到厨房拿了三个包子吃，减肥计划就这样结束了。

（一）根据短文内容，选择正确答案　*Choose the correct answer according to the text.*

1. 姐姐和妹妹经常比什么？（ B ）

A. 身高和体重　　B. 身高、体重和身材

2. 今年谁比谁矮了一厘米？（ A ）

A. 姐姐比妹妹　　B. 妹妹比姐姐

3. 姐姐减肥坚持了多长时间？（ B ）

A. 一个星期　　B. 八天

（二）根据短文内容，判断正误　*Decide if the following statements are true or false according to the text.*

1. 姐姐今年 17 岁，妹妹今年 15 岁。（ √ ）

2. 去年姐姐比妹妹高两厘米，但体重却跟妹妹差不多。（ √ ）

3. 今年妹妹比姐姐的体重多四公斤。（ × ）

4. 妹妹看到自己比以前胖多了，下决心马上减肥。（ × ）

5. 姐姐计划每天早上只喝一瓶酸奶。（ × ）

18-6-2 短文二 你不需要再找女朋友了

刘一山看到自己的肚子比以前大了，就下决心减肥，所以每顿饭吃得都很少。太太发现他比平时吃得少了，就问："亲爱的，你哪儿不舒服吗？"他回答："我什么病也没有。""我做的饭不好吃吗？"太太又问。"不，很好吃。"他回答。"那你为什么比平时吃得少了呢？"太太又问。"你看，我的肚子越来越大了，太难看了。""健康最重要。"太太说。"可是太胖了，在女同事面前多不好意思啊。""你在谁面前不好意思？"太太大声问。"在女同事面前。""你告诉你的女同事，你不需要减肥，也不需要再找女朋友了！"太太说。

（一）根据短文内容，选择正确答案 ***Choose the correct answer according to the text.***

1. 刘一山为什么比平时吃得少了？（ B ）

   A. 病了　　B. 肚子越来越大了

2. 刘一山觉得在谁面前不好意思？（ A ）

   A. 女同事　　B. 男同事

3. 太太为什么说刘一山不需要减肥？（ B ）

   A. 担心他和男同事的关系　　B. 担心他和女同事的关系

（二）根据短文内容，判断正误 ***Decide if the following statements are true or false according to the text.***

1. 刘一山看到自己的肚子比以前大了，就下决心减肥。（ √ ）
2. 刘一山吃得比平时多了。（ × ）
3. 太太不知道刘一山为什么比平时吃得少了。（ √ ）
4. 刘一山认为健康最重要。（ × ）
5. 刘一山的太太很幽默。（ √ ）

（三）根据短文内容连线 ***Do the matching exercise according to the text.***

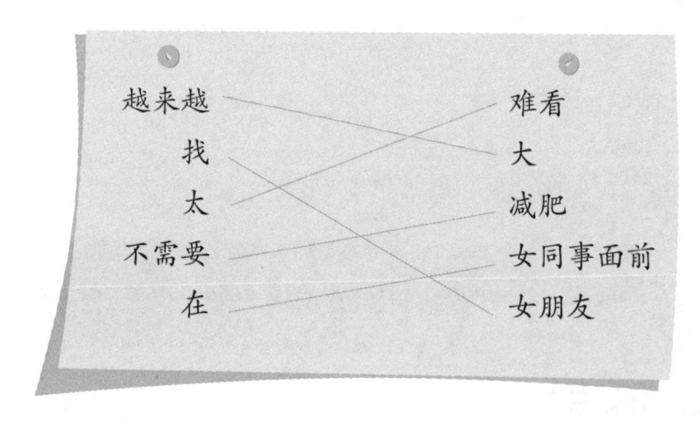

19 太短了 It's Too Short

第二部分　练习
Part Two　Exercises

19-4 一、听句子，听后判断 A 和 B 哪个与你听到的句子意思相同
Choose A or B according to what you hear.

1. 我两个月没理发了。（ A ）
   A. 我这两个月没理过发。
   B. 我上个月理发了。
2. 师傅，少剪去点儿，留长一点儿。（ A ）
   A. 师傅，少剪一点儿，别太短了。
   B. 师傅，多剪一点儿，别太长了。
3. 我就喜欢短头发。（ B ）
   A. 我不喜欢短头发。
   B. 我很喜欢短头发。
4. 她经常把手机放在书包里。（ A ）
   A. 她常常把手机放在书包里。
   B. 她经常把手表放在书包里。

二、听对话，听后做练习
Listen to the conversations and do the exercises according to what you hear.

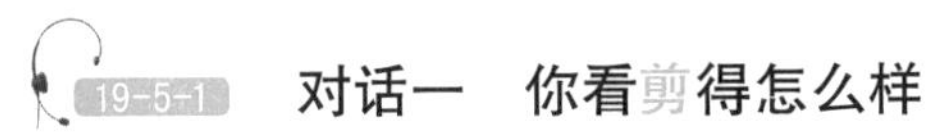

对话一　你看剪得怎么样

男：小姐，这儿有发型书，你想剪什么样的？

女：按我现在的发型剪就可以了。

男：留长点儿还是留短点儿？

女：短点儿。

（剪头发）

男：剪完了，你看怎么样？

女：挺好看的，要是再剪去一点儿就更好了。

男：好，那我就再给你剪去点儿。

女：谢谢。

（剪完了）

男：你照照镜子，看剪得怎么样。

女：不错，我就喜欢留短头发。

（一）根据对话内容，选择正确答案 ***Choose the correct answer according to the conversation.***

1. 这个对话是在哪儿？（ B ）

A. 照相馆　　B. 理发店

2. 女的想剪什么样的发型？（ A ）

A. 按现在的样子剪　　B. 按书上的样子剪

3. 女的喜欢留长头发还是短头发？（ A ）

A. 短头发　　B. 长头发

（二）根据对话内容填空 ***Fill in the blanks according to the conversation.***

1. 你看剪什么（样）的？
2.（按）我现在的发型剪就可以了。
3. 挺漂亮的，要是（再）剪去一点儿就更好了。
4. 你照照镜子，看剪（得）怎么样。

19-5-2 对话二　明天得多穿点儿

男：明天是周末，我得多睡一会儿。

女：你忘了？我们不是商量好要去博物馆吗？

男：是啊，我怎么忘了呢？

女：坐地铁去还是开车去呢？

男：坐地铁吧。

女：好，现在我就去准备明天穿的衣服。

男：明天天气怎么样啊？

女：天气预报说零下15度。

男：那明天得多穿点儿。

（一）根据对话内容，选择正确答案 ***Choose the correct answer according to the conversation.***

1. 他们商量好这个周末干什么了吗？（ A ）

A. 商量好了　　B. 没商量好

2. 他们坐地铁去还是开车去？（ B ）

A. 开车　　B. 坐地铁

3. 天气预报说明天多少度？（ A ）

A. 零下15度　　B. 15度

（二）根据对话内容填空 *Fill in the blanks according to the conversation.*

1. 明天是周末，我得（ 多 ）睡一会儿。
2. 我们不是商量好（ 要 ）去博物馆吗？
3. 现在我就去准备明天（ 穿 ）的衣服。
4. 天气预报说零下（ 15 ）度。

三、听短文，听后做练习 *Listen to the texts and do the exercises according to what you hear.*

19-6-1 短文一 太短了

在中国学习的两年时间里，我去过很多次理发店，下面，就说说我的一次理发经历。

一天，我到理发店剪头发，理发的师傅递给我一本书，书上有各种发型，让我挑选一个。我跟师傅说，我不想改变发型，请他按我现在的样子剪，剪短一点儿。师傅听了，马上开始剪，很快就剪短了。我一照镜子，觉得太短了，就跟师傅说他给我剪错了。师傅说他没剪错。因为“剪短一点儿”就是剪得短一点儿。我说我的意思是剪下来的头发短一点儿，留在头上的头发长一点儿。师傅听了笑了，说：“你应该说少剪一点儿，或者说留长一点儿。”

（一）根据短文内容，选择正确答案 *Choose the correct answer according to the text.*

1. 理发的师傅递给“我”一本什么书？（ B ）

   A. 汉语课本　　B. 发型书

2. “我”跟师傅说剪短一点儿还是长一点儿？（ A ）

   A. 短一点儿　　B. 长一点儿

3. 师傅给“我”剪完了以后，“我”认为怎么样？（ B ）

   A. 太长了　　D. 太短了

（二）根据短文内容，判断正误 *Decide if the following statements are true or false according to the text.*

1. 在中国学习的两年时间里，“我”去过很多次理发店。（ √ ）
2. 理发的师傅让“我”选一个发型。（ √ ）
3. “我”的意思是剪下来的头发长一点儿，留在头上的头发短一点儿。（ × ）
4. “我”认为师傅给“我”剪错了。（ √ ）
5. 师傅说他没剪错。（ √ ）

19-6-2 短文二 她是个喜欢照镜子的姑娘

罗小玲是个喜欢照镜子的姑娘，她总是把自己的小镜子放在书包里，随时拿出来照，看自己打扮得是不是很好看，看自己的头发是不是被风吹乱了，看自己穿的衣服是不是很整齐，看颜色搭配是不是很合适。

一天，她去上班，当她从公共汽车里下来的时候，突然下起了雨，她没有带雨伞，怎么办呢？她一边走一边想，要是自己的头发让雨淋湿了，头发就会变得很脏、很乱，见了同事多不好意思啊。于是，她停了下来，从书包里拿出了小镜子。正在照的时候，就听见旁边有人大声喊“看车！”她一看，原来一个警察正站在她面前。

（一）根据短文内容，选择正确答案 *Choose the correct answer according to the text.*

1. 罗小玲是个什么样的姑娘？（ A ）

   A. 喜欢照镜子的姑娘　　B. 喜欢买镜子的姑娘

2. 罗小玲总是把自己的小镜子放在什么地方？（ B ）

   A. 家里　　B. 书包里

3. 什么人对罗小玲大声喊“看车”？（ A ）

   A. 警察　　B. 司机

（二）根据短文内容，判断正误 *Decide if the following statements are true or false according to the text.*

1. 罗小玲出门的时候总是带着小镜子，随时拿出来照。（ √ ）
2. 罗小玲照镜子只是为了看看自己的头发是不是被风吹乱了。（ × ）
3. 一天，罗小玲去上班，路上突然下起了雨。（ √ ）
4. 罗小玲没带雨伞。（ √ ）
5. 罗小玲正在照镜子的时候，听见旁边有人大声喊“看车！”（ √ ）

（三）根据短文内容连线 *Do the matching exercise according to the text.*

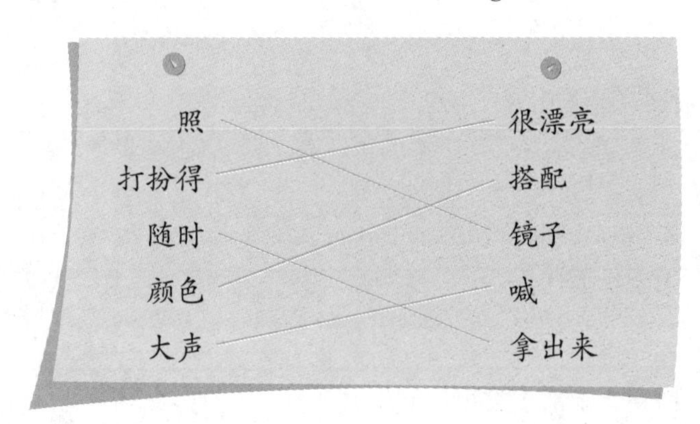

"See a doctor" 用汉语怎么说

How to Say "See a Doctor" in Chinese

第二部分　练习
Part Two　Exercises

20-4 一、听句子，听后判断 A 和 B 哪个与你听到的句子意思相同
Choose A or B according to what you hear.

1. 我今天上午已经退烧了。（ B ）
   A. 我今天上午发烧了。
   B. 我今天上午不发烧了。
2. 他的感冒好点儿了。（ A ）
   A. 他的感冒好些了。
   B. 他的感冒好了。
3. 化验完了我给你开药。（ B ）
   A. 先开药，然后化验。
   B. 先化验，然后开药。
4. "看病"的法语怎么说？（ A ）
   A. 法语"看病"怎么说？
   B. "看病"的英语怎么说？

二、听对话，听后做练习
Listen to the conversations and do the exercises according to what you hear.

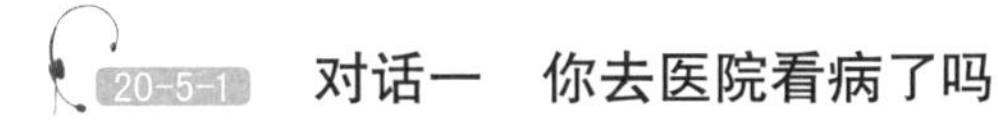

女：你去医院看病了吗？
男：去过了。
女：是感冒吗？
男：对，我感冒发烧了。
女：现在怎么样？好点儿了吗？
男：今天上午已经退烧了，可是还流鼻涕。
女：感冒挂哪个科？
男：内科。
女：挂号的人多吗？排队吗？
男：排队，看病的人很多。

(一)根据对话内容，选择正确答案 *Choose the correct answer according to the conversation.*

1. 男的得了什么病？（ A ）

A. 感冒　　B. 拉肚子

2. 男的发烧了吗？（ B ）

A. 没发烧　　B. 发烧了

3. 男的现在怎么样？（ B ）

A. 完全好了　　B. 已经退烧了，可是还流鼻涕

(二)根据对话内容填空 *Fill in the blanks according to the conversation.*

1. 你去（医院）看病了吗？
2. 今天上午已经（退烧）了。
3.（感冒）挂哪个科？
4. 挂号（排队）吗？

20-5-2 对话二　你哪儿不舒服

女：你哪儿不舒服？

男：我从昨天开始肚子疼。

女：拉肚子吗？

男：拉，昨天下午拉了五六次，今天上午拉了两次。

女：你去化验一下吧，化验完了我给你开药。

（化验完）

男：大夫，这是化验结果。

女：我给你开点儿药。

男：好的。这药一天吃几次啊？

女：三次，一次吃一片。

男：是饭前吃还是饭后吃？

女：饭后吃。

(一)根据对话内容，选择正确答案 *Choose the correct answer according to the conversation.*

1. 男的什么时候开始肚子疼？（ A ）

A. 昨天　　B. 今天

2. 男的今天上午拉肚子拉了几次？（ A ）

A. 两次　　B. 四次

3. 大夫开的药一天吃几次？（ B ）

A. 两次　　B. 三次

（二）根据对话内容填空 ***Fill in the blanks according to the conversation.***

1. 你哪儿不（舒服）？
2. 你去化验一下吧，化验（完了）我给你开药。
3. 这是化验（结果）。
4. 一次吃一（片）。

三、听短文，听后做练习 *Listen to the texts and do the exercises according to what you hear.*

20-6-1 短文一 "See a doctor"用汉语怎么说

"See a doctor"用汉语怎么说？应该翻译成"看病"，要是翻译成"看大夫"就错了。因为中国人认为，一个人得了病去医院，不是去看大夫怎么样，是请大夫给你看病。

因为用汉语说看病方面的话很难，所以我每次得了病，去医院以前都要先查查字典。可是，不是每一次都有时间准备。有一次，我跟朋友打篮球扭了脚，疼得厉害，必须马上去医院，所以就没有时间查字典。到了医院挂了外科，大夫问我："你的脚怎么了？"我说："变大了。"大夫很惊讶，说："什么？脚怎么会变大呢？我看看。"大夫看了以后笑了，说："不是变大了，是肿了。"我问："大夫，肿了是什么意思？"大夫说："就是变大了。"

（一）根据短文内容，选择正确答案 ***Choose the correct answer according to the text.***

1. "我"觉得用汉语说哪方面的话很难？（ B ）
   A. 吃药　　B. 看病
2. "我"的脚因为什么扭了？（ A ）
   A. 打篮球　　B. 踢足球
3. "我"扭了脚那次去医院以前查字典了吗？（ B ）
   A. 查了　　B. 没查

（二）根据短文内容，判断正误 ***Decide if the following statements are true or false according to the text.***

1. 中国人认为，一个人得了病去医院不是去看大夫，是请大夫给你看病。（ √ ）
2. "我"去医院以前经常查字典。（ √ ）
3. "我"扭了脚，疼得厉害。（ √ ）
4. 大夫问"我"的脚怎么了，"我"说肿了。（ × ）
5. 大夫说变大了就是肿了。（ √ ）

20-6-2 短文二 你好点儿了吗

上个星期大成到医院看了一次病，医生问他怎么了，他说咳嗽、嗓子疼、打喷嚏，还发烧。医生说他得了感冒，给他开了感冒药，还让他多休息、多喝水。这个星期大成又来到医院，给他看病的还是上次那个医生。医生问他："你好点儿了吗？""好点儿了，但嗓子还是很疼，鼻子也不通气。"他回答。"上次我告诉你，回家以后要多喝水，你喝了吗？"大夫问他。他说："大夫，我每天都喝很多水，所以我每次上课都要上好几趟厕所，同学们还以为我拉肚子了呢。"

（一）根据短文内容，选择正确答案 *Choose the correct answer according to the text.*

1. 大成怎么了？（ B ）
   A. 拉肚子　　B. 感冒了
2. 大成去了几次医院？（ B ）
   A. 一次　　B. 两次
3. 医生让大成多休息，还让他怎么样？（ A ）
   A. 多喝水　　B. 多锻炼

（二）根据短文内容，判断正误 *Decide if the following statements are true or false according to the text.*

1. 大成咳嗽、嗓子疼、打喷嚏，还发烧。（ √ ）
2. 医生没给大成开感冒药，只让他多休息。（ × ）
3. 这个星期大成又去了医院，给他看病的还是上次那个医生。（ √ ）
4. 大成跟大夫说，他好点儿了，但嗓子还是很疼，鼻子也不通气。（ √ ）
5. 大成告诉大夫，他因为拉肚子，每次上课都要上好几次厕所。（ × ）

（三）根据短文内容连线 *Do the matching exercise according to the text.*

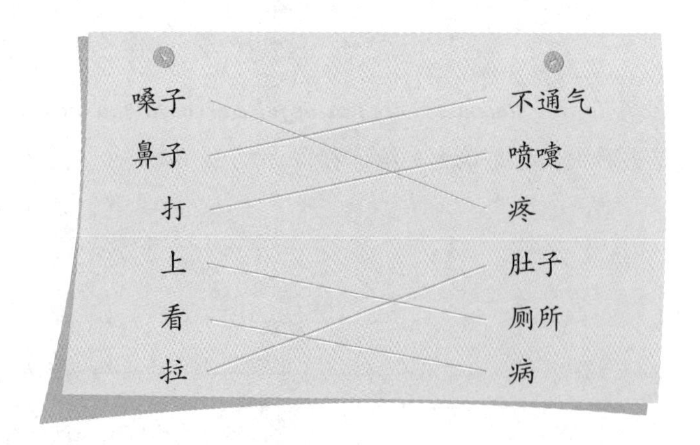

21 他刚从银行回来

He Has Just Come Back from the Bank

第二部分 练习
Part Two Exercises

21-4 一、听句子，听后判断 A 和 B 哪个与你听到的句子意思相同

Choose A or B according to what you hear.

1. 他去银行是存钱不是取钱。(A)

   A. 他去银行存钱。

   B. 他去银行取钱。

2. 您的身份证号码是多少？(A)

   A. 请告诉我您的身份证号码。

   B. 请告诉我您的护照号码。

3. 你怎么这么快就回来了？(A)

   A. 你回来得真快。

   B. 你回来得真慢。

4. 他每个月除了留下生活费以外，剩下的工资都存到银行了。(B)

   A. 他每个月的工资都存到银行了。

   B. 他每个月的生活费没有都存到银行。

二、听对话，听后做练习

Listen to the conversations and do the exercises according to what you hear.

21-5-1 对话一 存定期的还是活期的

女：您好！

男：您好！请帮我把这些钱存上。

女：存定期的还是活期的？

男：这是六万，四万存定期的，两万存活期的。

女：定期的存多长时间？

男：一年。

女：请给我您的身份证。

男：好的。

女：请您输入密码。

男：好的。

女：请再输入一遍。

男：好的。

（一）根据对话内容，选择正确答案 ***Choose the correct answer according to the conversation.***

1. 男的一共存了多少钱？（ A ）

   A. 六万　　　　B. 四万

2. 定期的钱是活期的几倍？（ B ）

   A. 一倍　　　　B. 两倍

3. 定期的有多长时间？（ A ）

   A. 一年　　　　B. 半年

（二）根据对话内容填空 ***Fill in the blanks according to the conversation.***

1. 存定期的（还是）活期的？
2.（这是）六万，四万存定期的，两万存活期的。
3.（请）给我您的身份证。
4. 请您输入（密码）。

21-5-2 对话二　我换了100美元

女：你怎么这么快就回来了？

男：今天银行只有两三个人排队。

女：你换了吗？

男：换了。

女：今天美元和人民币的汇率是多少？

男：我昨天早上听新闻，是1:6.5。

女：你用多少美元换的？

男：一百美元。

女：换了多少人民币呢？

男：650块。

（一）根据对话内容，选择正确答案 ***Choose the correct answer according to the conversation.***

1. 今天银行人多吗？（ A ）

   A. 很多　　　　B. 不多

2. 男的用美元换人民币还是用人民币换美元？（ A ）

   A. 用美元换人民币　　　　B. 用人民币换美元

3. 今天美元和人民币的汇率和昨天的一样吗？（ A ）

   A. 一样　　　　B. 不一样

(二)根据对话内容填空 ***Fill in the blanks according to the conversation.***

1. 你怎么这么快就(回来)了?
2. 今天银行只有两三个人(排队)。
3. 今天美元和(人民币)的汇率是多少?
4. 我昨天早上听(新闻),是 1: 6.5。

三、听短文,听后做练习 *Listen to the texts and do the exercises according to what you hear.*

21-6-1 短文一 他刚从银行回来

来福大学毕业以后,从山东来到重庆,在一家电脑公司工作。刚才他去了一趟银行,过一会儿还要去。为什么呢?事情是这样的:

来福每个月除了留下生活费以外,剩下的工资都存到了银行,一半存的是活期的,一半存的是定期的。几天前,他妈妈从山东打电话来,说他爸爸病了,希望他请假回家。他知道,虽然爸爸有保险,但还是有不少事是需要自己花钱的。昨天他们公司的经理已经同意他回家了,所以他刚才就去了一趟银行取钱,不过他只取了活期的,因为定期的还没有到期。银行的人说,如果他要取定期的,就要给他们看身份证,可是他没带。

(一)根据短文内容,选择正确答案 ***Choose the correct answer according to the text.***

1. 来福从哪儿来到重庆工作?(A)

   A. 山东　　B. 新疆

2. 来福每个月除了留下生活费以外,都把剩下的工资存在了哪儿?(B)

   A. 家里　　B. 银行

3. 他为什么过一会儿还要去银行?(B)

   A. 去取活期的钱　　B. 去取定期的钱

(二)根据短文内容,判断正误 ***Decide if the following statements are true or false according to the text.***

1. 来福在一家贸易公司工作。(×)
2. 来福的工资一半存的是活期的,一半存的是定期的。(√)
3. 来福的爸爸从山东打电话来,说他妈妈病了,希望他请假回家。(×)
4. 来福的爸爸有保险,但还是有不少事是需要自己花钱的。(√)
5. 来福存的定期的钱还没到期。(√)

21-6-2 短文二 一件有意思的事

前几天我听说一件有意思的事。我的一位同学中午去取钱，到银行一看，一共四台取款机，三台前面都没人，只有一台前面排着七八个人。他觉得有点儿奇怪，但还是走到一台没人的取款机前，放进银行卡，顺利地取了400块钱。他取钱时旁边排队的人都只在那儿看着他，等到他取完钱要走了，排在后边的几个人才争着过来用那台取款机。

我同学回来后问我这是怎么回事，我想了想说，可能刚开始那三台取款机是坏了，只有一台取款机能用，取钱的人就要排队；后来那三台又自动好了，但新来的人看着别人都在排队，不知道旁边的取款机也能用，也就去排队了，而你是第一个去尝试的人。

（一）根据短文内容，选择正确答案 ***Choose the correct answer according to the text.***

1. 故事发生的银行一共有几台取款机？（ B ）

   A. 三台　　B. 四台

2. “我”的同学取钱排队了吗？（ A ）

   A. 没排队　　B. 排队了

3. “我”的同学取完钱后，排队的人是怎么做的？（ B ）

   A. 全都不排队了　　B. 有一部分人不再排队了

（二）根据短文内容，判断正误 ***Decide if the following statements are true or false according to the text.***

1. “我”的同学是下午去取钱的。（ × ）
2. 很多人排队取钱。（ √ ）
3. 有些取款机前面没有人排队。（ √ ）
4. 没有人排队的取款机不能取钱。（ × ）
5. 排队的人都知道旁边的取款机也能用。（ × ）

（三）根据短文内容连线 ***Do the matching exercise according to the text.***

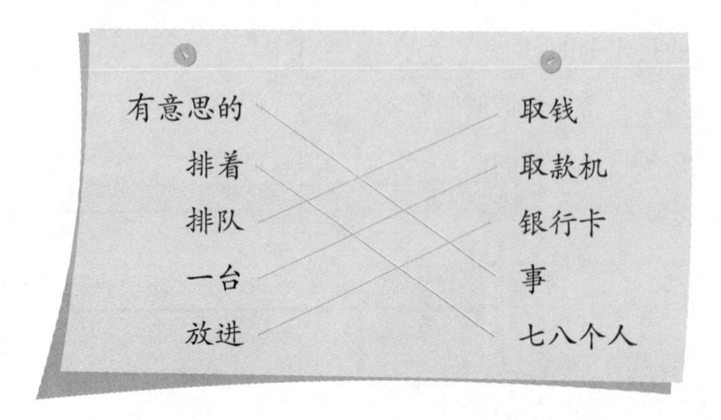

在北京坐公共汽车
Taking a Bus in Beijing

第二部分　练习
Part Two　Exercises

22-4 一、听句子，听后判断 A 和 B 哪个与你听到的句子意思相同
Choose A or B according to what you hear.

1. 我出门经常坐公共汽车。（ A ）
   A. 我出门常常坐公共汽车。
   B. 我出门不常坐公共汽车。
2. 上车请刷卡。（ A ）
   A. 上车以后请刷卡。
   B. 上车以前请刷卡。
3. 请前门上车，后门下车。（ B ）
   A. 请从后门上车，前门下车。
   B. 请从前门上车，后门下车。
4. 无论哪个地铁站都可以充值。（ A ）
   A. 所有地铁站都可以充值。
   B. 那个地铁站可以充值。

二、听对话，听后做练习
Listen to the conversations and do the exercises according to what you hear.

22-5-1 对话一　车上的人真多

男：618 路怎么还不来呀？

女：你看，来了！

（车内录音："请前门上车，后门下车。""上车请刷卡，没卡的乘客请买票。"）

男：你刷卡了吗？

女：刷了。

男：车上的人真多！

女：是啊，没有座位。

男：到动物园要坐几站啊？

女：你等一下，我去问问司机。

男：司机说几站啊？

女：五站。

（一）根据对话内容，选择正确答案 ***Choose the correct answer according to the conversation.***

1. 他们坐的是哪路车？（ A ）

A. 618 路　　B. 816 路

2. 他们要去哪儿？（ A ）

A. 动物园　　B. 公园

3. 到动物园要坐几站？（ B ）

A. 四站　　B. 五站

（二）根据对话内容填空 ***Fill in the blanks according to the conversation.***

1. 请前门（上车），后门下车。
2. 车上的人（真多）！
3. 到动物园要坐几（站）啊？
4. 我去问问（司机）。

22-5-2 对话二　我的交通卡里没钱了

女：我的交通卡里没钱了，去哪儿充值呢？

男：无论哪个地铁站都可以充。

女：哪儿有地铁站啊？

男：前边。你想充多少钱啊？

女：50 块。交通卡可以坐汽车，也可以坐地铁吗？

男：当然。

（一）根据对话内容，选择正确答案 ***Choose the correct answer according to the conversation.***

1. 谁的交通卡里没钱了？（ B ）

A. 男的　　B. 女的

2. 什么地方可以给交通卡充值？（ A ）

A. 地铁站　　B. 汽车站

3. 交通卡除了可以坐汽车外，还可以坐什么？（ B ）

A. 出租车　　B. 地铁

（二）根据对话内容填空 ***Fill in the blanks according to the conversation.***

1. 我的交通卡里（没钱）了。
2. 去（哪儿）充值呢？
3. 无论哪个地铁站都（可以）充。
4. 交通卡可以坐汽车，也可以坐（地铁）吗？

三、听短文，听后做练习 *Listen to the texts and do the exercises according to what you hear.*

22-6-1 短文一 在北京坐公共汽车

在北京坐公共汽车特别方便，无论你去什么地方都有公共汽车，而且几分钟就有一趟。所以，大部分人上下班、买东西、出去玩儿都坐公共汽车。

在北京坐公共汽车不但方便，而且服务很好，汽车每到一站你一般可以听到这样两句话："请前门上车，后门下车。""上车请刷卡，没卡的乘客请买票。"这两句话是公共汽车里播放的录音。前一句是在汽车到车站的时候播放的，后一句话是汽车离开车站的时候播放的。为什么要播放这两句话呢？原因有两个：一是因为有的公共汽车是无人售票汽车，二是为了让上下车更快、更安全。

（一）根据短文内容，选择正确答案 *Choose the correct answer according to the text.*

1. 在北京坐公共汽车怎么样？（ A ）
   A. 特别方便　　B. 不太方便
2. 北京的公共汽车多长时间一趟？（ B ）
   A. 一分钟　　B. 几分钟
3. 汽车每到一站一般可以听到几句话？（ A ）
   A. 两句话　　B. 三句话

（二）根据短文内容，判断正误 *Decide if the following statements are true or false according to the text.*

1. 北京的公共汽车服务很好。（ √ ）
2. 大部分人上下班、买东西、出去玩儿都坐公共汽车。（ √ ）
3. 汽车每到一站乘客都可以听到司机说两句话。（ × ）
4. "请前门上车，后门下车"是汽车离开车站时播放的。（ × ）
5. 北京的公共汽车都是无人售票汽车。（ × ）

22-6-2 短文二 跟司机聊天儿很有意思

在北京，路上堵车是常有的事。比如，从我们学校到巴西大使馆大概有 40 多公里，不堵车的时候坐出租车半个多小时就到了，要是上下班时间坐公共汽车得走一个多小时。今天上午八点多，我打车去巴西大使馆，路上就堵了很长时间。坐在车上虽然很着急，但是跟司机聊天儿很有意思。司机听说我是巴西人，马上问我会不会踢足球，我说不会，不过很喜欢。司机还问我是汉语本科生还是研究生，我说是本科生。司机听了马上说："你回国以后可以给巴西足球队当汉语翻译，陪他们来中国踢球。"我说："您的这个想法不错。不过……""小伙子，你别担心。"司机说，无论你跟运动员们什么时候来中国，中国人都非常欢迎。"

（一）根据短文内容，选择正确答案 *Choose the correct answer according to the text.*

1. 今天上午"我"去哪儿了？（ A ）
   A. 巴西大使馆　　B. 美国大使馆
2. "我"现在是汉语本科生还是研究生？（ A ）
   A. 本科生　　B. 研究生
3. 司机希望"我"回到巴西以后做什么？（ B ）
   A. 当足球运动员　　B. 给巴西足球队当汉语翻译

（二）根据短文内容，判断正误 *Decide if the following statements are true or false according to the text.*

1. 在北京，堵车是常有的事。（ √ ）
2. 从"我们"学校到巴西大使馆大概有 40 多公里。（ √ ）
3. 不堵车的时候坐出租车半个多小时就到了。（ √ ）
4. 要是上下班时间坐出租车得走一个多小时。（ × ）
5. 司机说，无论"我"跟运动员们什么时候来中国，中国人都非常欢迎。（ √ ）

（三）根据短文内容连线 *Do the matching exercise according to the text.*

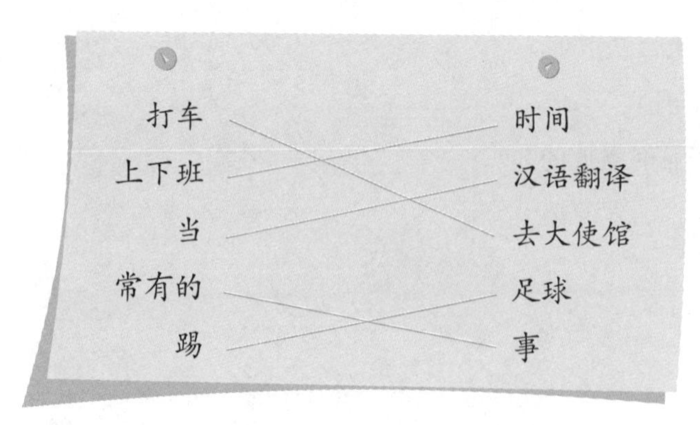

很多女人都喜欢逛商场
A Lot of Women Like Shopping Very Much

第二部分　练习
Part Two　Exercises

23-3 一、听句子，听后判断 A 和 B 哪个与你听到的句子意思相同
Choose A or B according to what you hear.

1. 这件衣服有点儿大。（ A ）
   A. 这件衣服大了一点儿。
   B. 这件衣服小了一点儿。
2. 你戴红色的帽子很漂亮。（ A ）
   A. 你戴红色的帽子很好看。
   B. 你戴黑色的帽子很好看。
3. 女人一看到便宜的东西就想买。（ A ）
   A. 女人每次看到便宜的东西就想买。
   B. 男人每次看到便宜的东西就想买。
4. 她什么都想买。（ A ）
   A. 每样东西她都想买。
   B. 什么东西她都买了。

二、听对话，听后做练习
Listen to the conversations and do the exercises according to what you hear.

23-4-1 对话一　您要买什么鞋

女：您要买什么鞋？

男：皮鞋。

女：您喜欢什么样子的？

男：这个样子的不错。

女：您穿多大号的？

男：40 的。

女：您试试这双吧。

男：有点儿紧，还有大一点儿的吗？

女：有。您再试试这双。

男：这双大小正合适。今天打折吗？

女：打折。

男：打几折呀？

女：七折。原价是 800 块，打折以后是 560 块。

男：好，我要这双。在哪儿交钱？
女：在那边的收款台。

（一）根据对话内容，选择正确答案 ***Choose the correct answer according to the conversation.***

1. 男的穿多大号的皮鞋？（ B ）
   A. 42号　　B. 40号
2. 男的一共试了几双鞋？（ B ）
   A. 一双　　B. 两双
3. 今天打几折？（ A ）
   A. 七折　　B. 八折

（二）根据对话内容填空 ***Fill in the blanks according to the conversation.***

1. 您穿多大（号）的？
2. 这双有点儿（紧），还有大一点儿的吗？
3. 这双大小正（合适）。
4.（打）几折呀？

23-4-2 对话二　你看怎么样

女：我戴上这顶帽子，再围上这条围巾，你看怎么样？
男：颜色不搭配。
女：我穿上这件羽绒服，再穿上这条牛仔裤，你看怎么样？
男：羽绒服太肥了，牛仔裤太瘦了。
女：我穿上这件T恤，再穿上这条裙子，你看怎么样？
男：T恤太大了。
女：真的？
男：当然。这些东西你又是在商场打折的时候买的吧？
女：没错儿。
男：你真的需要这些东西吗？
女：不太需要，但我一看到很便宜就什么都想买。

（一）根据对话内容，选择正确答案 ***Choose the correct answer according to the conversation.***

1. 男的认为女的帽子和围巾怎么样？（ B ）
   A. 很好看　　B. 颜色不搭配
2. 男的认为女的羽绒服和牛仔裤怎么样？（ A ）
   A. 羽绒服太肥，牛仔裤太瘦　　B. 羽绒服太瘦，牛仔裤太肥
3. 女的为什么买这些东西？（ B ）
   A. 很需要　　B. 很便宜

（二）根据对话内容填空 *Fill in the blanks according to the conversation.*

1. 我（ 戴上 ）这顶帽子，再围上这条围巾，你看怎么样？
2. 我（ 穿上 ）这件羽绒服，再（ 穿上 ）这条牛仔裤，你看怎么样？
3. 我穿上这件T恤，再穿上这条（ 裙子 ），你看怎么样？
4. 我一看到很（ 便宜 ）就什么都想买。

三、听短文，听后做练习 *Listen to the texts and do the exercises according to what you hear.*

23-5-1 短文一 很多女人都喜欢逛商场

很多女人都喜欢逛商场，特别是打折的时候。她们为了买到一件又喜欢又便宜的东西，常常逛很多家商场。还有的女人逛商场的时候一看到东西便宜，就忘了自己需要什么，不需要什么，看到什么都想买。当然，也有的女人逛商场，不一定是为了买东西，只是去看看，去玩儿玩儿，买到了自己喜欢的衣服，回家会高兴很长时间，没买到喜欢的东西，也没关系。更有意思的是，她们逛商场的时候还希望有人陪着，一边看衣服一边聊天儿。网上有一条消息说，英国的女人一生中有八年时间在逛商场。

男人跟女人不一样，大多数男人不喜欢逛商场。需要买衣服怎么办呢？很简单，需要买什么就去买什么，只要试试合适，交完钱就走。

（一）根据短文内容，选择正确答案 *Choose the correct answer according to the text.*

1. 很多女人都很喜欢什么？（ B ）
   A. 跟朋友聊天儿　　B. 逛商场
2. 女人逛商店，一定是为了买东西吗？（ B ）
   A. 是的　　B. 不一定
3. 大多数男人喜欢逛商场吗？（ B ）
   A. 喜欢　　B. 不喜欢

（二）根据短文内容，判断正误 *Decide if the following statements are true or false according to the text.*

1. 有的女人为了买到一件又喜欢又便宜的东西，常常逛很多家商场。（ √ ）
2. 有的女人逛商场的时候一看到东西便宜想买。（ √ ）
3. 有的女人逛商场，不一定是为了买东西，只是聊天儿。（ × ）
4. 网上有一条消息说，美国的女人一生中有八年时间在逛商场。（ × ）
5. 所有的男人都不喜欢逛商场。（ × ）

23-5-2 短文二　你知道怎么说吗

人们去商场买衣服或者买鞋等东西的时候，总是要先试一试，合适以后才买。那么，试的时候，如果你觉得不太合适，你知道怎么说吗？这里，我告诉你两种简单的说法：第一，你可以用“有点儿什么什么”这个句子说，比如“有点儿大 / 有点儿小 / 有点儿肥 / 有点儿瘦 / 有点儿长 / 有点儿短”；第二，你还可以用“什么什么了一点儿”这个句子说，比如“大了一点儿 / 小了一点儿 / 肥了一点儿 / 瘦了一点儿 / 长了一点儿 / 短了一点儿”。如果你觉得合适，你说“什么什么正合适”就可以了，比如“大小正合适 / 肥瘦正合适 / 长短正合适”等等。怎么样？你记住了吗？

（一）根据短文内容，选择正确答案 *Choose the correct answer according to the text.*

1. 人们去商店买衣服或者买鞋的时候，总是要先怎么样？（ B ）
   A. 准备钱　　B. 试一试
2. 如果你试的时候觉得不合适，有几种简单的说法？（ A ）
   A. 两种　　B. 三种
3. 如果你觉得合适，可以用下面哪个句子表达？（ B ）
   A. ……有点儿合适　　B. ……正合适

（二）根据短文内容，判断正误 *Decide if the following statements are true or false according to the text.*

1. 如果你觉得你要买的东西对你来说不太合适，有两种简单的说法。（ √ ）
2. “有点儿什么什么”意思是不太合适。（ √ ）
3. “什么什么了一点儿”意思是很合适。（ × ）
4. 这件衣服“有点儿大”，意思是这件衣服大了一点儿。（ √ ）
5. “大小正合适 / 肥瘦正合适 / 长短正合适”意思是你觉得满意。（ √ ）

（三）根据短文内容连线 *Do the matching exercise according to the text.*

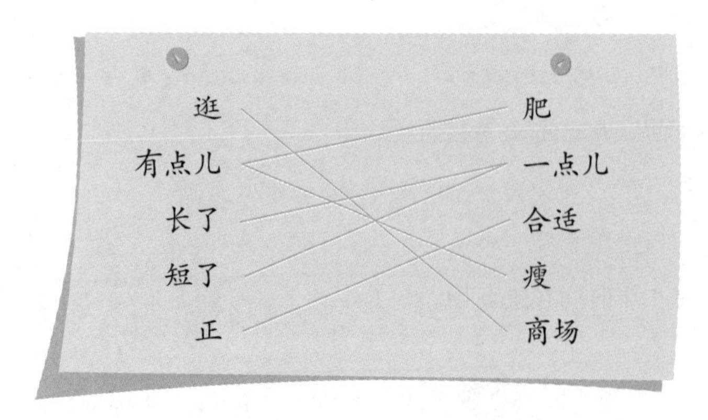

24 第一次坐飞机

The First Time to Take the Plane

第二部分　练习
Part Two　Exercises

24-4 一、听句子，听后判断 A 和 B 哪个与你听到的句子意思相同

Choose A or B according to what you hear.

1. 我父母一直住在农村。（ A ）

   A. 我父亲和母亲一直在农村住。

   B. 我父亲和母亲一直住在城市。

2. 他们从来没去过大城市，更没有坐过飞机。（ A ）

   A. 他们从来没去过大城市，也没有坐过飞机。

   B. 他们从来没去过大城市，但坐过飞机。

3. 飞机十点起飞，到北京是十二点四十分。（ B ）

   A. 飞机十点起飞，两点四十到北京。

   B. 飞机十点起飞，十二点四十分到北京。

4. 她从香港到哈尔滨，路过北京的时候玩儿了玩儿。（ A ）

   A. 她从香港到哈尔滨，中间在北京玩儿了玩儿。

   B. 她从香港到哈尔滨，想中间在北京玩儿一玩儿。

二、听对话，听后做练习

Listen to the conversations and do the exercises according to what you hear.

24-5-1 **对话一　我们还从来没去看过她呢**

女：快过年了。

男：是啊，时间过得真快！

女：你和你太太打算在武汉过年还是在香港过年啊？

男：女儿来电话说让我们到她那儿过年。

女：你女儿到香港工作几年了？

男：两年多了。我们还从来没去看过她呢。

女：那你们应该去看看她。

男：是啊，我们很想去看她。

女：你们打算坐火车还是坐飞机呀？

男：坐飞机。女儿已经在网上预订好机票了。

（一）根据对话内容，选择正确答案 *Choose the correct answer according to the conversation.*

1. 这个对话发生在什么时候？（ A ）

A. 过年以前　　B. 过年以后

2. 谁在香港工作？（ B ）

A. 女的的女儿　　B. 男的的女儿

3. 男的和他的太太打算怎么去香港？（ B ）

A. 坐火车　　B. 坐飞机

（二）根据对话内容填空 *Fill in the blanks according to the conversation.*

1.（快）过年了。

2. 女儿来电话说让我们到她（那儿）过年。

3. 我们还从来没去（看过）她呢。

4. 女儿已经在（网上）预订好机票了。

24-5-2 对话二 我自己坐机场大巴去就可以了

女：喂，你坐的航班几点从香港起飞呀？

男：早上 9 点 35 分。

女：到哈尔滨的时间是几点啊？

男：中午 1 点 40 分。

女：好，中午我去机场接你。

男：不用，我带的东西不多。

女：别客气。

男：你工作挺忙的，别去机场接了，我自己坐机场大巴就可以了。

女：那好吧。我挂了。

男：好，再见！

（一）根据对话内容，选择正确答案 *Choose the correct answer according to the conversation.*

1. 女的正在哪儿给男的打电话？（ A ）

A. 哈尔滨　　B. 香港

2. 飞机几点从香港起飞？（ B ）

A. 晚上 9 : 35　　B. 早上 9 : 35

3. 飞机几点到哈尔滨？（ A ）

A. 中午 1 点 40 分　　B. 中午两点 40 分

（二）根据对话内容填空 ***Fill in the blanks according to the conversation.***

1. 你坐的航班（儿点）从香港起飞呀？
2. 我去机场（接）你。
3. 我（带）的东西不多。
4. 你工作挺忙的，别去（机场）接了，我自己坐机场大巴就可以了。

三、听短文，听后做练习 ***Listen to the texts and do the exercises according to what you hear.***

24-6-1 **短文一 第一次坐飞机**

我父母一直住在农村，从来没去过大城市，更没有坐过飞机。去年过年的时候我回家去接他们。我给他们买了两张往返票，是头等舱的，我自己买的是一张单程票，是经济舱的。

上飞机以前我跟我父母说，飞机上吃的、喝的什么都有，你们什么也不用准备。下了飞机以后，我问他们："头等舱怎么样？"他们说："非常舒服。服务员一会儿问我们想喝什么，一会儿问我们想吃什么，态度好极了。"我又问："你们吃了什么？喝了什么？"他们说："儿子，你给我们买了那么贵的飞机票，我们不能让你再花钱了。"

（一）根据短文内容，选择正确答案 ***Choose the correct answer according to the text.***

1. "我"父母一直住在哪儿？（ B ）
   A. 小城市　　B. 农村
2. "我"给父母买的是什么机票？（ B ）
   A. 经济舱　　B. 头等舱
3. "我"父母在飞机上吃东西了吗？（ A ）
   A. 没有　　B. 吃了

（二）根据短文内容，判断正误 ***Decide if the following statements are true or false according to the text.***

1. "我"父母没有坐过飞机。（ √ ）
2. 去年"我"过年的时候回家接父母。（ √ ）
3. "我"自己买的也是头等舱的机票。（ × ）
4. 上飞机以前"我"没跟"我"父母说飞机上吃的、喝的什么都有。（ × ）
5. "我"父母不想让"我"为他们花很多钱。（ √ ）

24-6-2 短文二 孙子见到我们很高兴

我和我太太住在哈尔滨，我儿子一家住在香港。从他们搬到香港到现在，我们还从来没见过面呢。今年春节我们打算去香港跟他们一起过年，所以我和我太太提前半个月就预订了往返飞机票。

我们上飞机的那天，哈尔滨正下大雪，可是当我们下飞机的时候，香港却是大晴天。儿子一家到机场接我们。上三年级的小孙子见到我们说："爷爷，奶奶，下次你们别坐飞机来了。""你不欢迎我们吗？"我问。"不是，我想坐火车回哈尔滨看你们，路过武汉的时候下车去看长江。"我突然想起来了，孙子还没见过长江呢。以前我们跟孙子说过，长江经过武汉，将来有时间我一定要带他坐火车到武汉去看长江。而坐火车从哈尔滨到香港，正好路过武汉。

（一）根据短文内容，选择正确答案 *Choose the correct answer according to the text.*

1. "我"和"我"太太住在哪个城市？（ B ）

   A. 香港　　B. 哈尔滨

2. "我"儿子住在哪个城市？（ A ）

   A. 香港　　B. 哈尔滨

3. 小孙子欢迎"我们"来香港吗？（ A ）

   A. 欢迎　　B. 不欢迎

（二）根据短文内容，判断正误 *Decide if the following statements are true or false according to the text.*

1. 从"我"儿子一家搬到香港到现在，"我们"还从来没见过面。（ √ ）
2. "我"和"我"太太提前半个月就预订了往返机票。（ √ ）
3. "我们"下飞机的时候香港正在下大雨。（ × ）
4. 儿子一家到机场接"我们"。（ √ ）
5. "我"跟"我"孙子说过，"我"要带他去武汉看长江。（ √ ）

（三）根据短文内容连线 *Do the matching exercise according to the text.*

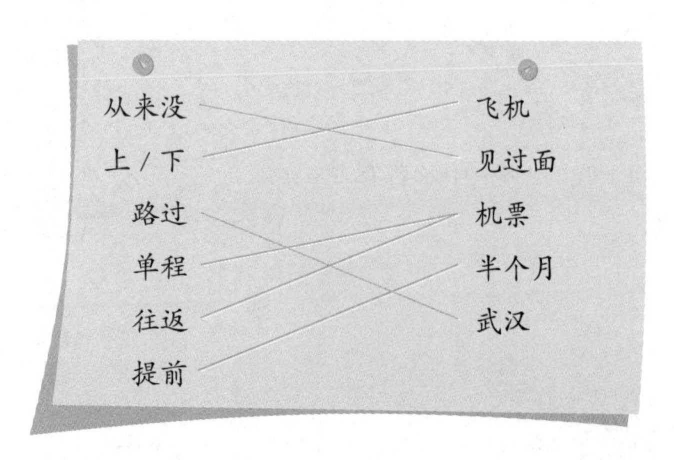

我们决定坐火车去

We Decided to Go There by Train

第二部分　练习
Part Two　Exercises

25-4 一、听句子，听后判断 A 和 B 哪个与你听到的句子意思相同

Choose A or B according to what you hear.

1. 这趟列车是从北京开往西安的。（ B ）
   A. 这趟列车是从西安到北京的。
   B. 这趟列车是从北京到西安的。
2. 最晚应该在发车前两个小时退票。（ A ）
   A. 退票时间最少比发车时间早两小时。
   B. 退票时间最多比发车时间早两小时。
3. 您坐的那趟列车已经发车了。（ A ）
   A. 您坐的那趟列车已经开走了。
   B. 您坐的那趟列车快要发车了。
4. 我也是这么想的。（ A ）
   A. 我同意您说的。
   B. 我不同意您说的。

二、听对话，听后做练习

Listen to the conversations and do the exercises according to what you hear.

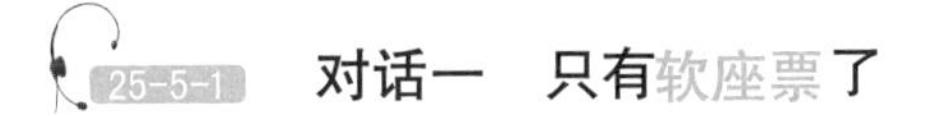

25-5-1 对话一　只有软座票了

女：到西安的 T15 次还有票吗？

男：哪趟列车的？

女：T15 次，18∶30 发车的。

男：哪天的？

女：后天的。要卧铺票。

男：卧铺票卖完了，只有软座票了。

女：也行，买两张。

男：给。

女：请问，如果想退票，应该提前多长时间办理呢？

男：最晚应该在发车前两个小时。

女：谢谢。

（一）根据对话内容，选择正确答案 *Choose the correct answer according to the conversation.*

1. 女的要去哪儿？（ A ）

A. 西安　　B. 北京

2. 女的买的是哪次列车的车票？（ A ）

A. T15 次　　B. T5 次

3. 女的买的是什么票？（ B ）

A. 卧铺票　　B. 软座票

（二）根据对话内容填空 *Fill in the blanks according to the conversation.*

1. 到西安的 T15 次还有（票）吗？

2. T15（次），18 : 30 发车的。

3. 请问，如果想退票，应该提前多长时间（办理）呢？

4. 最晚应该在发车前两个（小时）。

25-5-2 对话二 我现在就去

男：小姐，几点了？

女：差 5 分 3 点。

男：我上车前很着急，没来得及买吃的东西，现在有点儿饿了。

女：我这儿有面包，给您一个。

男：谢谢。我想去餐车吃饭，不知道餐车在第几号车厢？

女：11 点的时候广播了，说餐车在 10 号车厢，可是那时您睡着了。

男：我现在去不知道来得及来不及。

女：等一下，我还没说完呢。

男：对不起，您请说。

女：餐车开饭到 3 点，现在去来不及了。

（一）根据对话内容，选择正确答案 *Choose the correct answer according to the conversation.*

1. 这个对话发生在什么时候？（ A ）

A. 差 5 分钟 3 点　　B. 3 点过 5 分

2. 餐车在第几号车厢？（ A ）

A. 第 10 号　　B. 第 11 号

3. 现在去餐车吃饭还来得及吗？（ B ）

A. 来得及　　B. 来不及

（二）根据对话内容填空 *Fill in the blanks according to the conversation.*

1. 我（上车）前很着急，没来得及买吃的东西，现在有点儿饿了。
2. 我这儿有（面包），给您一个。
3. 11 点的时候广播了，说餐车在 10 号车厢，可是那时您（睡着）了。
4. 餐车（开饭）到 3 点，现在去来不及了。

三、听短文，听后做练习 *Listen to the texts and do the exercises according to what you hear.*

25-6-1 **短文一 我也是这么想的**

我是一个火车售票员。一天下午，我正在卖票，一个姑娘着急地问我，今天还有没有从北京开往西安的车票，我说都卖完了。这时候，正好来了一位先生，他要退两张去西安的票，其中一张是 10 号车厢的卧铺票，另一张是 15 号车厢的软座票。这个姑娘马上跟我说，她要那张卧铺票，站在她后边的一个小伙子也跟我说，他也想要那张卧铺票。我跟那个小伙子说："这位姑娘排队排在你前边，应该让她先挑选。"那个小伙子说："对不起，我是给我爷爷买票，他年纪大了，而且身体不好。"我听了，马上跟那个姑娘说："你能不能……"我的话还没说完，那个姑娘就说："您别说了，我也是这么想的，卧铺票卖给他吧。"

（一）根据短文内容，选择正确答案 *Choose the correct answer according to the text.*

1. "我"是什么人？（ A ）
   A. 火车售票员　　B. 汽车售票员
2. 那个姑娘要去哪儿？（ A ）
   A. 西安　　B. 北京
3. 那个小伙子买到卧铺票了吗？（ B ）
   A. 没买到　　B. 买到了

（二）根据短文内容，判断正误 *Decide if the following statements are true or false according to the text.*

1. "我"告诉那姑娘，从西安开往北京的票都卖完了。（ × ）
2. 一个先生要退两张去西安的票。（ √ ）
3. 那个先生要退的票里边有一张是 15 号车厢的卧铺票。（ × ）
4. 姑娘和小伙子都要买那张卧铺票。（ √ ）
5. "我"和姑娘都想把那张卧铺票给小伙子的爷爷。（ √ ）

25-6-2 短文二 我们决定坐火车去

现在，去西藏旅游的人越来越多，对那里的环境是不是有影响呢？我们几个在西安工作的环保专家，准备去了解一下那里的环保情况。当然，我们工作完了以后也想看看那里的风景和历史古迹，特别是拉萨的布达拉宫。

是坐飞机还是坐火车去呢？有的同事认为，最好坐飞机，几个小时就到了；如果坐火车，从北京到拉萨是4064公里，要走40多个小时，时间太长了。可是也有的同事不这么认为，他们觉得，坐飞机虽然快，但就看不到路上的风景了。经过商量，最后我们决定坐火车去，坐飞机回来。于是，我们马上预订了T27次列车的卧铺票。这列火车是从北京开往拉萨的，路过西安。

（一）根据短文内容，选择正确答案 *Choose the correct answer according to the text.*

1. 这些环保专家在哪个城市工作？（ A ）
   A. 西安　　B. 北京
2. 他们为什么要去西藏？（ B ）
   A. 旅游　　B. 了解那里的环保情况
3. 经过商量，他们决定怎么去拉萨？（ A ）
   A. 坐火车　　B. 坐飞机

（二）根据短文内容，判断正误 *Decide if the following statements are true or false according to the text.*

1. 现在，去西藏旅游的人越来越多。（ √ ）
2. “我们”也想看看那里的风景和历史古迹，特别是拉萨的布达拉宫。（ √ ）
3. 有的同事认为，最好坐飞机去，几个小时就到了。（ √ ）
4. 从北京到拉萨是4064公里，坐火车要40个小时。（ × ）
5. T27次列车是从西安开往拉萨的。（ × ）

（三）根据短文内容连线 *Do the matching exercise according to the text.*

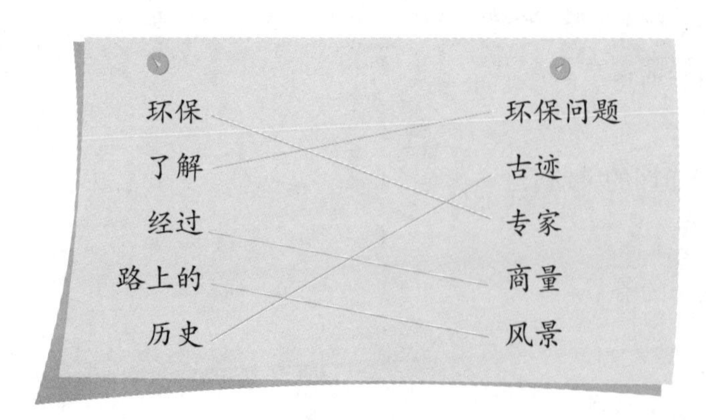

青年旅馆最便宜
Youth Hostels Are the Cheapest

第二部分　练习
Part Two　Exercises

26-4 一、听句子，听后判断 A 和 B 哪个与你听到的句子意思相同

Choose A or B according to what you hear.

1. 我在网上找了半天才找到一个便宜的旅馆。（ A ）
   A. 我在网上找了很长时间才找到一个便宜的旅馆。
   B. 我在网上找了一个上午才找到一个便宜的旅馆。
2. 房间都已经住满了。（ A ）
   A. 没有空房间了。
   B. 都是空房间。
3. 对不起，现在没有双人间了，只有单人间。（ B ）
   A. 对不起，现在有双人间，没有单人间了。
   B. 对不起，现在有单人间，没有双人间了。
4. 我们正好还有两个空房间。（ A ）
   A. 很合适，我们还有两个空房间。
   B. 对不起，我们只有两个房间。

二、听对话，听后做练习

Listen to the conversations and do the exercises according to what you hear.

对话一　服务员，还有空房间吗

男：服务员，还有空房间吗？

女：您提前预订了吗？

男：没有。

女：对不起，已经都住满了。

男：您帮我看看今天下午有没有客人要离开？

女：请稍等。还真的有一位客人要离开。

男：太好了。是单人间吗？

女：对。您打算住几天？

男：三天。

（一）根据对话内容，选择正确答案 *Choose the correct answer according to the conversation.*

1. 这个对话发生在哪儿？（ A ）

A. 旅馆　　B. 饭馆

2. 下午要离开的客人住的是什么房间？（ A ）

A. 单人间　　B. 双人间

3. 男的打算住几天？（ B ）

A. 两天　　B. 三天

（二）根据对话内容填空 *Fill in the blanks according to the conversation.*

1. 服务员，还有空（房间）吗？

2. 对不起，已经都（住满）了。

3. 还真的有一位客人要（离开）。

4. 您（打算）住几天？

26-5-2 对话二　先生，您能帮我一个忙吗

女：先生，您能帮我一个忙吗？

男：您请说。

女：明天早上您能不能打电话叫我起床？

男：可以。几点叫您合适呢？

女：七点半。

男：好的。

女：我起来以后马上来办理结账手续可以吗？

男：可以。

（一）根据对话内容，选择正确答案 *Choose the correct answer according to the conversation.*

1. 男的是什么人？（ B ）

A. 旅馆的客人　　B. 旅馆的服务员

2. 女的明天早上想几点起床？（ B ）

A. 七点　　B. 七点半

3. 女的打算什么时候离开旅馆？（ A ）

A. 明天早上　　B. 后天早上

（二）根据对话内容填空 ***Fill in the blanks according to the conversation.***

1. 先生，您能帮我一个（ 忙 ）吗？
2. 您（ 请说 ）。
3. （ 几点 ）叫您合适呢？
4. 我（ 起来 ）以后马上办理结账手续可以吗？

三、听短文，听后做练习 ***Listen to the texts and do the exercises according to what you hear.***

26-6-1 短文一 青年旅馆最便宜

出去旅游，住青年旅馆是最便宜的，所以，很多年轻人都喜欢住这样的旅馆。万东民和他的同学打算一起去桂林旅游，他们不想跟旅行社去，想自己去，这几天正在网上找合适的青年旅馆，但找了半天也没找到满意的，不是位置不好就是没有空房间。今天是星期天，他们又在网上看广告，找了一上午终于找到了一个比较满意的。那个旅馆有单人间，也有双人间。单人间住一个晚上 100 块，双人间每人 50 块。另外，那个青年旅馆交通也比较方便。他们商量好，马上给那个青年旅馆发电子邮件，告诉他们预订什么样的房间、住几天等等。

（一）根据短文内容，选择正确答案 ***Choose the correct answer according to the text.***

1. 万东民和他的同学打算一起去哪儿旅游？（ A ）
   A. 桂林　　B. 杭州
2. 万东民和他的同学在网上找什么样的旅馆？（ B ）
   A. 老年旅馆　　B. 青年旅馆
3. 他们找到满意的青年旅馆了吗？（ A ）
   A. 找到了　　B. 没找到

（二）根据短文内容，判断正误 ***Decide if the following statements are true or false according to the text.***

1. 出去旅游，住青年旅馆是最便宜的。（ √ ）
2. 万东民和同学打算不跟旅行社去桂林，自己去。（ √ ）
3. 前几天他们在网上找了一个上午也没找到满意的旅馆。（ × ）
4. 这个青年旅馆的单人间住一个晚上 100 块，双人间每人 50 块。（ √ ）
5. 他们给青年旅馆打电话预订房间。（ × ）

26-6-2 短文二　打了半天也没找到

今天上午，我们旅馆来了两位客人，一个是中国人，一个是澳大利亚人。他们问我有没有空房间，我说正好有两个空房间，他们很高兴。我问他们打算住几天，他们说住四天。于是，我马上给他们办理手续。当我要看他们的证件的时候，那个澳大利亚人马上给我看了他的护照，可是那个中国人找了半天也没找到自己的身份证，他非常着急。我说别着急，再想想是不是落在哪儿了，他说可能落在刚才坐的出租车里了。我问他要没要出租车的发票，他说没要。我马上给我们那个城市的各个出租汽车公司打电话，但打了半天也没找到他坐的那辆出租车。

（一）根据短文内容，选择正确答案 *Choose the correct answer according to the text.*

1. “今天”上午来了几个客人？（ B ）

   A. 一个　　B. 两个

2. “今天”上午“我”接待的那个外国客人是哪国人？（ A ）

   A. 澳大利亚人　　B. 加拿大人

3. 那个中国人可能把身份证落在哪儿了？（ B ）

   A. 火车里　　B. 出租车里

（二）根据短文内容，判断正误 *Decide if the following statements are true or false according to the text.*

1. “我们”旅馆正好有两个空房间。（ √ ）
2. 他们打算住四天。（ √ ）
3. “我”马上给他们办理手续。（ √ ）
4. 那个澳大利亚人马上给“我”看了他的护照。（ √ ）
5. 那个中国人忘了带身份证。（ × ）

（三）根据短文内容连线 *Do the matching exercise according to the text.*

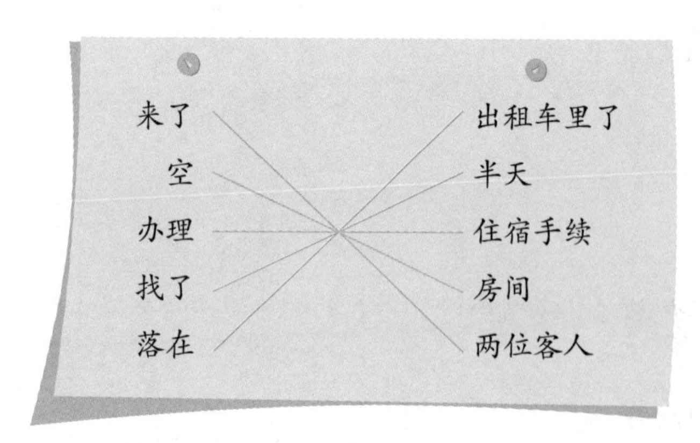

27 咱们各付各的
Let's Go Dutch

第二部分　练习
Part Two　Exercises

27-4 一、听句子，听后判断 A 和 B 哪个与你听到的句子意思相同
Choose A or B according to what you hear.

1. 今天的晚饭我请客。（ A ）
   A. 今天我请大家吃晚饭。
   B. 今天你请大家吃晚饭。
2. 给我们每人来杯咖啡。（ A ）
   A. 我们一人要一杯咖啡。
   B. 我们每人要两杯咖啡。
3. 吃完了饭，他们各付各的钱。（ B ）
   A. 吃完了饭，他给大家付了钱。
   B. 吃完了饭，他们自己付了自己的钱。
4. 我的朋友给我做了一桌子菜。（ A ）
   A. 我的朋友给我做了满桌子的菜。
   B. 我的朋友给我做了一个菜。

二、听对话，听后做练习
Listen to the conversations and do the exercises according to what you hear.

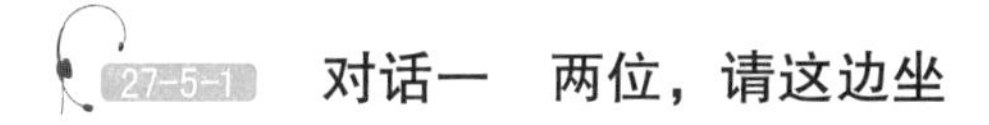

27-5-1 对话一　两位，请这边坐

男：两位，请这边坐！
女：谢谢！
男：来点儿什么？
女：给我们每人来杯咖啡。
男：加糖还是加冰？
女：都不要，放点儿牛奶就可以了。
男：还要别的吗？
女：不要了，谢谢。
男：请稍等。

（一）根据对话内容，选择正确答案 *Choose the correct answer according to the conversation.*

1. 几个人喝咖啡？（ B ）

A. 一个　　B. 两个

2. 女的想在咖啡里放什么？（ A ）

A. 牛奶　　B. 糖

3. 女的还要了什么？（ B ）

A. 糖　　B. 什么也没要

（二）根据对话内容填空 *Fill in the blanks according to the conversation.*

1.（两位），请这边坐！

2.（来）点儿什么？

3. 加糖还是加（冰）？

4. 还要（别的）吗？

27-5-2 对话二　请跟我来

女：欢迎光临！请问，你们预订了吗？

男：预订了。

女：您贵姓？

男：姓陈。

女：请稍等，我查一下。

男：谢谢。

女：您是陈先生，对吗？

男：是的。

女：一共六位，对吗？

男：是的。

女：在楼上的小餐厅，请跟我来。

（一）根据对话内容，选择正确答案 *Choose the correct answer according to the conversation.*

1. 这个对话发生在哪儿？（ A ）

A. 饭馆　　B. 旅馆

2. 吃饭的客人提前预订了吗？（ B ）

A. 没有　　B. 预订了

3. 一共几个人吃饭？（ B ）

A. 五个　　B. 六个

（二）根据对话内容填空 *Fill in the blanks according to the conversation.*

1.（欢迎）光临！

2. 您（贵姓）？

3. 您是陈（先生），对吗？

4. 在楼上的小餐厅，请跟我（来）。

三、听短文，听后做练习 *Listen to the texts and do the exercises according to what you hear.*

27-6-1 短文一 咱们各付各的

今天早上，汉林起床以后就照镜子、打扮，准备去一个饭店参加同学聚会。

汉林大学本科和研究生都是在英国上的，毕业以后回到中国工作。从毕业到现在已经好几年了，他还从来没跟同学们见过面呢。这次他来英国出差，他的同学听说以后都非常高兴。

不到十一点，汉林就到了聚会的那个饭店。他想他一定是第一个到的，没想到，同学们都提前到了。大家见了面互相握手，互相问候。吃饭的时候，大家举起酒杯说："为我们的友谊干杯！"吃完饭，大家又都抢着付钱，一个男同学说："我建议咱们各付各的，怎么样？"大家说："好，这个主意不错，就AA制吧。"

（一）根据短文内容，选择正确答案 *Choose the correct answer according to the text.*

1. 汉林在哪儿参加同学聚会？（ B ）

A. 中国的一个饭店　　B. 英国的一个饭店

2. 汉林本科和研究生是在哪儿上的？（ B ）

A. 中国　　B. 英国

3. 他们吃完饭怎么付的钱？（ A ）

A. AA 制　　B. 汉林请客

（二）根据短文内容，判断正误 *Decide if the following statements are true or false according to the text.*

1. 今天早上，汉林起床以后就照镜子、打扮，准备去一个饭店参加同学聚会。（ √ ）

2. 汉林毕业以后在英国工作。（ × ）

3. 汉林从毕业到现在从来没跟同学们见过面。（ √ ）

4. 吃完饭大家都想付钱。（ √ ）

5. 一个女同学建议 AA 制。（ × ）

27-6-2 短文二 大家听了都笑了

今天中午，我在我们家请客，客人是我的几个朋友。

为了招待客人，我和我的父母很早就进了厨房，我和爸爸洗菜，妈妈做饭，我们一共准备了四个凉菜，六个热菜。中午，朋友们都来了，大家看到一桌子菜，都非常惊讶，说："这么多菜，你们太客气了！"我给每个人都倒了一杯啤酒，说："大家举杯，为我们的友谊干杯！"我父母也说："吃吧，你们喜欢什么就吃什么，别客气。"我的朋友们很快就吃饱了。妈妈看到他们放下了筷子，马上说："别放下筷子，再吃点儿。"我的荷兰朋友说："谢谢，我饱死了。"大家听了都笑了。他问我们为什么笑，我告诉他："我们不说'饱死了'，说'撑死了'。"

（一）根据短文内容，选择正确答案 *Choose the correct answer according to the text.*

1. 今天中午来"我"家的客人是谁的朋友？（ B ）

   A."我"父母的　　B."我"的

2. "我"和"我"的父母准备了几个菜？（ B ）

   A. 四个　　B. 十个

3. 大家为什么笑了？（ A ）

   A. 荷兰朋友说错了　　B. 荷兰朋友吃多了

（二）根据短文内容，判断正误 *Decide if the following statements are true or false according to the text.*

1. 为了招待客人，"我"和"我"的父母早上就进了厨房。（ × ）
2. 朋友们看到"我们"准备的满桌子菜，都非常惊讶。（ √ ）
3. "我"对朋友们说："别放下筷子，再吃点儿。"（ × ）
4. "我"的荷兰朋友说："谢谢，我饱死了。"（ √ ）
5. "我"告诉他："我们不说'饱死了'，说'撑死了'。"（ √ ）

（三）根据短文内容连线 *Do the matching exercise according to the text.*

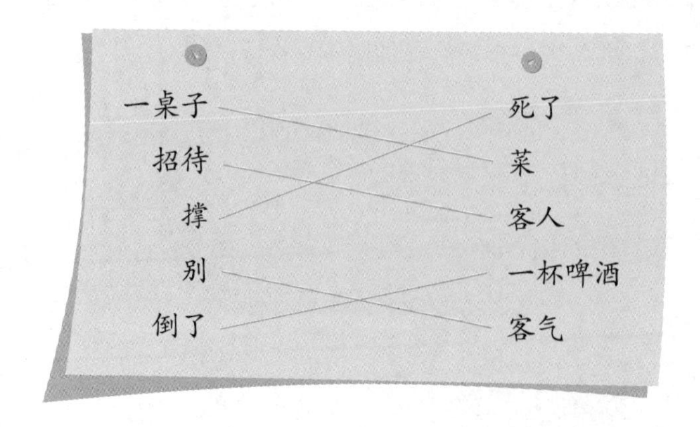

28 她可生气了
She Is So Angry

第二部分　练习
Part Two　Exercises

28-4 一、听句子，听后判断 A 和 B 哪个与你听到的句子意思相同
Choose A or B according to what you hear.

1. 那个电影演了多长时间了？（ B ）
   A. 那个电影你看了多长时间了？
   B. 那个电影开始多长时间了？
2. 都十一点了，别唱了。（ B ）
   A. 快十一点了，别唱了。
   B. 已经十一点了，别唱了。
3. 那个电视剧已经演了十几集了，还有两集就演完了。（ A ）
   A. 那个电视剧还有两集就演完了。
   B. 那个电视剧还剩十几集就演完了。
4. 爷爷跟奶奶说话的时候可生气了。（ A ）
   A. 爷爷跟奶奶说话的时候非常生气。
   B. 奶奶跟爷爷说话的时候可生气了。

二、听对话，听后做练习
Listen to the conversations and do the exercises according to what you hear.

28-5-1 **对话一　都几点了**

男：都几点了，你还在看电视剧。
女：马上就要演完了。
男：一共多少集呀？
女：58 集。今天是最后一集。
男：真够长的！
女：是啊，我还想看呢，可是演完了。
男：你把遥控器给我，我看看中央电视台 5 频道。
女：等一会儿广告的时候你再看好吗？
男：那好吧。我想看看是北京队赢了还是上海队赢了。
女：别看了，北京队输了。
男：你怎么知道？
女：刚才我看了一下，北京队输了两个球呢。

（一）根据对话内容，选择正确答案 ***Choose the correct answer according to the conversation.***

1. 女的看的电视剧一共多少集？（ A ）

A. 58 集　　B. 68 集

2. 中央电视台几频道有比赛？（ A ）

A. 5 频道　　B. 15 频道

3. 北京队赢了还是上海队赢了？（ B ）

A. 北京队　　B. 上海队

（二）根据对话内容填空 ***Fill in the blanks according to the conversation.***

1.（都）几点了？你还在看电视剧？

2. 马上就要（演）完了。

3. 你（把）遥控器给我。

4. 刚才我看了（一下），北京队输了两个球呢。

28-5-2 对话二　妈妈，您怎么哭了

男：妈妈，您怎么哭了？

女：电视剧里的两个人要结婚了。

男：那是好事，您为什么还哭呢？

女：我想到了我自己。

男：您怎么了？爸爸不是很爱您吗？

女：不，你不知道，他要跟我离婚。

男：怎么会呢？

女：他给我写了一张纸条，贴在了卧室里。

（看纸条）

男：您别哭了，您把电视关上就不会了。

女：为什么？

男：爸爸在纸条上写的是："你要是再看爱情电视剧，我就跟你离婚。"

（一）根据对话内容，选择正确答案 ***Choose the correct answer according to the conversation.***

1. 电视剧里的两个人是要结婚还是要离婚？（ A ）

A. 结婚　　B. 离婚

2. 女的的丈夫把纸条贴在了哪儿？（ A ）

A. 卧室里　　B. 客厅里

3. 女的为什么哭？（ B ）

A. 她的先生要跟她离婚　　B. 她以为她的先生要跟她离婚

（二）根据对话内容填空 ***Fill in the blanks according to the conversation.***

1. 妈妈，您怎么（哭）了？

2. 我（想）到了我自己。

3. 您别哭了，您把电视（关上）就不会了。

4. 爸爸在纸条上写的是："你要是（再）看爱情电视剧，我就跟你离婚。"

三、听短文，听后做练习 ***Listen to the texts and do the exercises according to what you hear.***

28-6-1 短文一　他们经常争论

我爷爷和奶奶非常喜欢看电视，但两个人喜欢的节目不一样，奶奶要看爱情电视剧，爷爷要看足球比赛，所以，他们经常争论，而且看法不一样。

一天，他们又争论了起来。奶奶可生气了，说："你都多大年纪了，还每天看小伙子踢球，真没意思。"爷爷说："怎么没意思呢？"奶奶说："那些运动员为了抢一个球，从这边跑到那边，又从那边跑到这边，可是结果呢，不是输了就是赢了。"爷爷也很生气，说："你都多大岁数了，还看爱情电视剧，真没意思。"奶奶说："怎么没意思呢？"爷爷说："那些电视剧演了一集又一集，都是男人和女人谁爱谁，谁不爱谁的事儿，还有别的结果吗？"奶奶说："当然有，他们不是结婚了就是离婚了，这就是结果！"

（一）根据短文内容，选择正确答案 ***Choose the correct answer according to the text.***

1. "我"爷爷和奶奶都喜欢什么？（ A ）

   A. 看电视　　B. 看电影

2. "我"爷爷最爱看什么？（ B ）

   A. 爱情电视剧　　B. 足球比赛

3. 他们对电视节目的看法一样吗？（ B ）

   A. 一样　　B. 不一样

（二）根据短文内容，判断正误 ***Decide if the following statements are true or false according to the text.***

1. "我"爷爷和奶奶经常为了看电视争论。（ √ ）

2. "今天"，奶奶非常生气。（ × ）

3. 奶奶认为爷爷看足球比赛没意思。（ √ ）

4. 爷爷认为奶奶看爱情电视剧没意思。（ √ ）

5. 奶奶 80 多岁了。（ × ）

28-6-2 短文二 她可生气了

最近，马文经常接到隔壁赵女士的电话，说马文唱歌影响了她休息。

怎么回事儿呢？原来马文准备考北京中央音乐学院，每天都在家里练习唱歌。为什么要在家里练习呢？因为她每天上班，没时间练习，只能下班以后练习，可是下班回到家已经很晚了。为了不影响赵女士休息，马文一般都是一吃完晚饭就开始练习，而且只唱一会儿。今天马文吃完晚饭又准备唱了，唱以前还把窗户都关上了。可是，她的声音还是打扰了隔壁的赵女士。赵女士可生气了，她在电话里说："都几点了，你还在唱歌，让不让人休息了！如果你再唱，我马上打110报警。"马文刚想说现在还不到睡觉的时间呢，可是赵女士已经把电话挂上了。

（一）根据短文内容，选择正确答案 *Choose the correct answer according to the text.*

1. 马文和赵女士是什么关系？（ A ）
   A. 邻居　　B. 同事
2. 今天赵女士为什么那么生气？（ B ）
   A. 马文要考中央音乐学院　　B. 马文唱歌影响了她休息
3. 今天赵女士打110报警电话了吗？（ B ）
   A. 打了　　B. 没有

（二）根据短文内容，判断正误 *Decide if the following statements are true or false according to the text.*

1. 马文每天上班，没时间练习，只能下班以后练习。（ √ ）
2. 马文一般都是一吃完晚饭就开始练习，而且唱很长时间。（ × ）
3. 今天马文吃完晚饭又准备唱了，唱以前没把窗户关上。（ × ）
4. 今天马文的声音还是打扰了隔壁的赵女士。（ √ ）
5. 赵女士没听完马文的话就把电话挂上了。（ √ ）

（三）根据短文内容连线 *Do the matching exercise according to the text.*

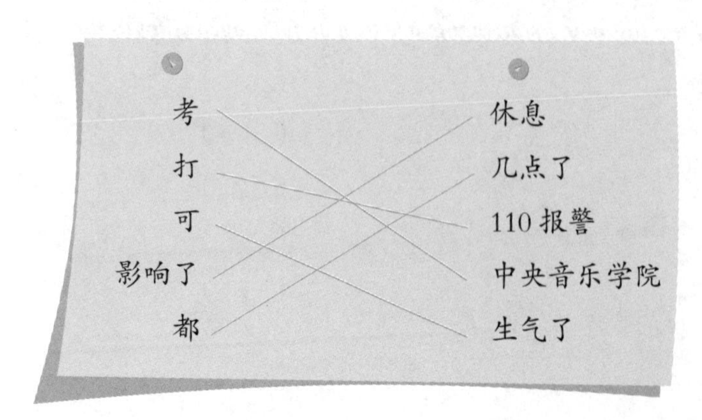

给妈妈的信
A Letter to Mom

第二部分　练习
Part Two　Exercises

29-4 一、听句子，听后判断 A 和 B 哪个与你听到的句子意思相同

Choose A or B according to what you hear.

1. 这个月 5 号是我的生日。（ A ）
   A. 我的生日是这个月 5 号。
   B. 我的生日是这个月 15 号。
2. 您给我寄来的礼物我收到了。（ A ）
   A. 我收到您寄来的礼物了。
   B. 您收到我寄来的礼物了。
3. 他一进门就看到了我买的书。（ B ）
   A. 他一进门就看到了我写的书。
   B. 他刚进门就看到了我买的书。
4. 请你帮我带点儿礼物给她。（ B ）
   A. 我帮你给她东西。
   B. 你帮我给她东西。

二、听对话，听后做练习

Listen to the conversations and do the exercises according to what you hear.

29-5-1 对话一　节日你打算怎么过

男：圣诞节和新年快到了，你们放假吗？

女：圣诞节不放假，新年放假。

男：放几天呀？

女：三天。

男：节日你打算怎么过？

女：1 月 1 号回家看父母，2 号全家出去玩儿，3 号给孩子过生日。

男：真够忙的！

女：是啊，不过很有意思。

（一）根据对话内容，选择正确答案　*Choose the correct answer according to the conversation.*

1. 这个对话发生在什么时候？（ A ）
   A. 圣诞节前　　B. 新年以后
2. 女的哪个节日放假？（ B ）
   A. 圣诞节　　B. 新年

3. 女的1月1号干什么？（ B ）

A. 全家出去玩儿　　B. 回家看父母

（二）根据对话内容填空 *Fill in the blanks according to the conversation.*

1. 圣诞节和新年（快）到了，你们放假吗？

2.（新年）放假。

3. 1月1号回家看（父母），2号全家出去玩儿，3号给孩子过生日。

4. 真（够）忙的！

29-5-2 对话二 一定代我向他问好

女：你什么时候去乌鲁木齐出差呀？

男：春节以前。

女：我的大学同学在乌鲁木齐工作，我想请你帮我带点儿礼物给她。

男：没问题。什么东西呢？

女：一条丝绸围巾和一条丝绸裙子。

男：她在哪个单位工作？叫什么名字？电话号码是多少？

女：我都写在这个小包裹外边了。

男：好，放心吧，我一定送到。

女：谢谢。你见到她，一定代我向她问好。

男：好的。我想，收到你的礼物她一定很高兴。

（一）根据对话内容，选择正确答案 *Choose the correct answer according to the conversation.*

1. 男的什么时候去乌鲁木齐出差？（ B ）

A. 新年以前　　B. 春节以前

2. 女的给谁买了礼物？（ B ）

A. 她的高中同学　　B. 她的大学同学

3. 女的买的礼物是什么？（ A ）

A. 一条丝绸围巾和一条丝绸裙子　　B. 一条丝绸围巾和一顶帽子

（二）根据对话内容填空 *Fill in the blanks according to the conversation.*

1. 我的（大学）同学在乌鲁木齐工作。

2. 我想请你（帮）我带点儿礼物给她。

3. 她在哪个单位（工作）？

4. 我都写在这个小包裹（外边）了。

三、听短文，听后做练习 *Listen to the texts and do the exercises according to what you hear.*

29-6-1 短文一 给妈妈的信

亲爱的妈妈：

您好！下个月15号就是您的生日了，我给您买了生日礼物，今天给您寄去。我给您买的是一条丝绸裙子和一条围巾，都是您最喜欢的灰色。您收到后给我回一封电子邮件吧。

妈妈，您前几天给我寄来的生日贺卡我收到了，谢谢您！您问我生日过得怎么样，您放心吧，我过得特别高兴。生日前几天，老师给我写了生日贺卡。老师在贺卡上表扬我，说我学习进步很快。生日那天，我请我们班的同学来参加了我的生日聚会，热闹极了，我们还一起吃了生日蛋糕呢。

乌鲁木齐现在已经很冷了吧？您和爸爸一定要注意身体。

好了，就写到这儿吧，请代我问爷爷奶奶好。

祝您生日快乐！

您的女儿：阿依古丽

6月12日 杭州

（一）根据短文内容，选择正确答案 *Choose the correct answer according to the text.*

1. 这封电子邮件是谁写给谁的？（ B ）
   A. 妈妈写给女儿的　　B. 女儿写给妈妈的
2. 女儿给妈妈买的生日礼物是什么？（ A ）
   A. 一条丝绸裙子和一条围巾　　B. 一条丝绸裤子和一条围巾
3. 女儿告诉妈妈什么？（ A ）
   A. 她的生日过得很快乐　　B. 她的学习很忙

（二）根据短文内容，判断正误 *Decide if the following statements are true or false according to the text.*

1. 下个月15号就是阿依古丽妈妈的生日。（ √ ）
2. 妈妈最喜欢灰色。（ √ ）
3. 老师前几天给阿依古丽寄来了生日贺卡。（ × ）
4. 生日那天，阿依古丽请她们班的同学来参加了她的生日聚会。（ √ ）
5. 阿依古丽写这封电子邮件的时候乌鲁木齐已经很热了。（ × ）

29-6-2 短文二 圣诞节就要到了

圣诞节和新年就要到了，今天我给朋友们买了很多贺卡。回到家以后，我把贺卡放在桌子上，就去厨房做晚饭了，打算吃完晚饭以后再写贺卡。

晚饭还没有做完，我先生就下班回来了。他一进门看到桌子上的贺卡就大声喊："亲爱的，我在下班的路上，看到街上和很多商店门口都挂上了红灯笼，我想，应该给朋友们寄贺卡了，没想到他们先给我寄来了。"我听了在厨房里大声说："好了，别开玩笑了，那些贺卡是我刚买回来的。你先给咱们大学同学每人写一张贺卡吧，写完以后再写一封信，代我向他们问好，祝他们圣诞节快乐，新年快乐。"

（一）根据短文内容，选择正确答案 *Choose the correct answer according to the text.*

1. 圣诞节和新年就要到了，今天"我"给朋友们买了什么？（ A ）
   A. 贺卡　　B. 礼物
2. "我"和"我"的先生在大学的时候怎么样？（ A ）
   A. 是同班同学　　B. 还不认识
3. "我"让"我"先生先给谁写一张贺卡？（ B ）
   A. "我"的大学同学　　B. "我"和"我"先生的大学同学

（二）根据短文内容，判断正误 *Decide if the following statements are true or false according to the text.*

1. "我"打算吃完晚饭以后，再写贺卡。（ √ ）
2. 晚饭做完以后，"我"先生下班回来了。（ × ）
3. "我"在下班的路上，看到街上和很多商店门口都挂上了红灯笼。（ × ）
4. "我"和"我"先生是大学同学。（ √ ）
5. "我"先生认为桌子上的贺卡是他的朋友们寄来的。（ √ ）

（三）根据短文内容连线 *Do the matching exercise according to the text.*

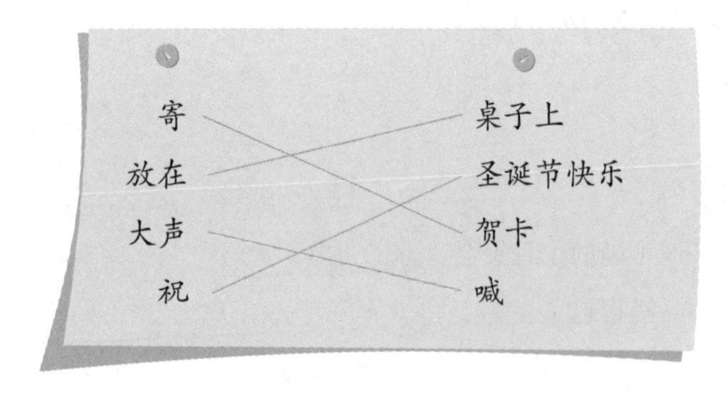

祝贺你
Congratulations

第二部分　练习
Part Two　Exercises

30-4 一、听句子，听后判断 A 和 B 哪个与你听到的句子意思相同
Choose A or B according to what you hear.

1. 她参加了好几次托福考试。（ B ）
   A. 她参加了七次托福考试。
   B. 她参加了很多次托福考试。
2. 昨天他接到了一封信。（ A ）
   A. 昨天他收到了一封信。
   B. 昨天他发走了一封信。
3. 她的 HSK 考试成绩还可以。（ A ）
   A. 她的 HSK 考试成绩还行。
   B. 她的 HSK 考试成绩不好。
4. 你的大学不是很好吗？（ B ）
   A. 你的大学不好。
   B. 你的大学很好。

二、听对话，听后做练习
Listen to the conversations and do the exercises according to what you hear.

30-5-1 对话一　真为你高兴

女：听说你接到录取通知了？
男：对，昨天下午接到的。
女：真为你高兴！
男：谢谢！
女：你去学习什么专业？
男：经济管理。
女：有奖学金吗？
男：有，不过不太多。
女：你到了德国以后要多跟我联系啊。
男：当然。

（一）根据对话内容，选择正确答案 *Choose the correct answer according to the conversation.*

1. 男的要去哪国学习？（ B ）

A. 英国　　B. 德国

2. 男的什么时候接到的录取通知？（ B ）

A. 昨天上午　　B. 昨天下午

3. 男的有奖学金吗？（ A ）

A. 有　　B. 没有

（二）根据对话内容填空 *Fill in the blanks according to the conversation.*

1. 听说你（接到）录取通知了？
2. 真为你（高兴）！
3. 有奖学金，（不过）不太多。
4. 你到了德国以后要多跟我（联系）啊。

30-5-2 对话二　最近你忙什么呢

男：最近你忙什么呢？

女：准备 HSK 考试，申请转学。

男：你的大学不是很好吗？

女：不是大学好不好的问题。

男：那你为什么要转学呢？

女：我想去学习针灸，可是我们大学没有这个专业。

男：哦！现在转学的手续办得怎么样了？

女：我刚申请，还不知道结果呢。

（一）根据对话内容，选择正确答案 *Choose the correct answer according to the conversation.*

1. 女的现在正在忙什么呢？（ A ）

A. 准备 HSK 考试，申请转学　　B. 准备 HSK 考试，申请奖学金

2. 女的现在的大学有针灸专业吗？（ B ）

A. 有　　B. 没有

3. 女的知道转学的手续办得怎么样了吗？（ B ）

A. 知道　　B. 不知道

（二）根据对话内容填空 *Fill in the blanks according to the conversation.*

1. 你的（大学）不是很好吗？
2. 不是大学好不好的（问题）。

3.（为什么）要转学呢？

4. 我刚申请，还不知道（结果）呢。

三、听短文，听后做练习 *Listen to the texts and do the exercises according to what you hear.*

30-6-1 短文一 祝贺你

今天，香草收到了上海中医药大学录取她的信，非常高兴。她的老师和同学见了她都说：“祝贺你！”

香草是越南学生，来上海已经五六年了，她先在一所大学进修了两年汉语，然后又转学到另外一所大学读了四年本科。香草学习非常努力，上课从来不迟到，而且期中考试和期末考试的成绩都在90分以上。他们大学为了鼓励她，每个学期都给她奖学金。这些奖学金解决了她的学费和生活费的问题。今年她终于大学毕业了，毕业以前她参加了HSK考试，还申请了到上海中医药大学学习针灸。

香草对针灸最感兴趣，她下决心一定要努力学习，毕业以后回到越南，当一个中医大夫。

（一）根据短文内容，选择正确答案 *Choose the correct answer according to the text.*

1. 香草被哪个大学录取了？（ B ）

A. 广州中医药大学　　B. 上海中医药大学

2. 香草在上本科以前进修了多长时间的汉语？（ B ）

A. 一年　　B. 两年

3. 香草每个学期都有奖学金吗？（ A ）

A. 有　　B. 没有

（二）根据短文内容，判断正误 *Decide if the following statements are true or false according to the text.*

1. 香草的老师和同学见了她都说：“祝贺你！” （ √ ）

2. 香草是越南学生，来上海已经四年了。（ × ）

3. 香草学习非常努力，上课从来不迟到。（ √ ）

4. 香草毕业以后参加了HSK考试。（ × ）

5. 香草对针灸最感兴趣。（ √ ）

30-6-2 短文二 祝你一路平安

我哥哥就要离开家去美国芝加哥大学读研究生了，他学的专业是经济管理。这是他最感兴趣的专业。今天下午，爸爸、妈妈和我送哥哥来到了机场。

在机场，我们一家人说了很多，爸爸说，哥哥从考 TOEFL、GRE，到申请学校，从去美国大使馆办理签证手续，到预订机票，都是他一个人办的，对他锻炼很大；妈妈说最近哥哥好像突然长大了；我说，我要向哥哥学习。我还有很多话要跟哥哥说，可是这时候广播里说，去芝加哥的航班开始检票了，我只好跟哥哥说："哥哥，祝你一路平安！"

（一）根据短文内容，选择正确答案 *Choose the correct answer according to the text.*

1. 哥哥要去美国芝加哥大学读什么？（ B ）

   A. 本科　　B. 研究生

2. "我"哥哥要学习什么专业？（ A ）

   A. 经济管理　　B. 贸易

3. 就要检票了，"我"跟哥哥说什么？（ B ）

   A. 向哥哥学习　　B. 祝你一路平安

（二）根据短文内容，判断正误 *Decide if the following statements are true or false according to the text.*

1. 今天上午，爸爸、妈妈和"我"送哥哥来到了机场。（ × ）
2. 在机场，"我"一个人说了很多。（ × ）
3. 哥哥去美国学习的手续都是他一个人办的。（ √ ）
4. 最近哥哥好像突然长大了。（ √ ）
5. "我"要向哥哥学习。（ √ ）

（三）根据短文内容连线 *Do the matching exercise according to the text.*

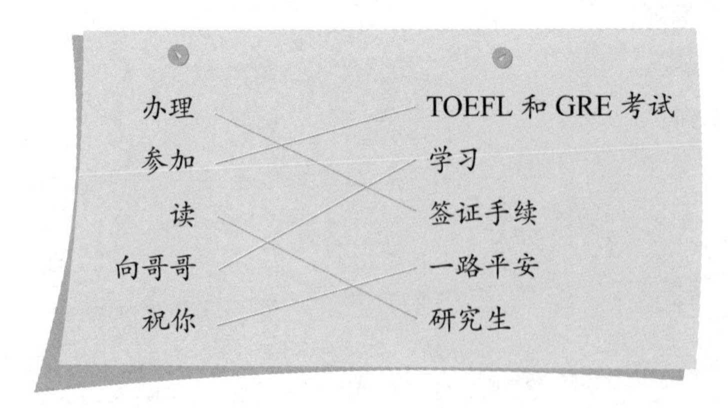